JN072662

心理教育教材

「キックスタート, トラウマを理解する」

活用ガイド

問題行動のある
知的・発達障害児者を支援する

 実践ツール 「キックスタート,トラウマを理解する」
「子ども時代のつらかった体験(ACEs)質問表」

本多隆司・伊庭千惠

明石書店

はじめに

　問題行動のある知的・発達障害児者のなかには、虐待や暴力、自然災害などを体験しトラウマ（心的外傷）のある人は少なくないことはよく知られています。とりわけ、非行や犯罪をした人ではその比率はいっそう高まります。彼らの多くは、自分が体験した恐ろしい出来事がトラウマをもたらすこと、トラウマは感情や考え方などに対してさまざまに影響を与える可能性があること、その影響は人生において長く続くかもしれないことなどを知らず、また誰からも知らされることもないかもしれません。戸惑いと不安がおそってきて混乱しています。体験した出来事はあまりに恐ろしくて口にしがたいことですが、かといって誰にも言えないままであれば不安や苦しみだけが重なっていきます。

　一方、支援者のなかにはトラウマに関する知識が十分とはいえないため、トラウマに関連した課題を扱うには準備不足だと思っている人がいるかもしれません。トラウマがあることと現在の問題との関連性をとらえることもなく、支援の対象者にその説明をすることもないかもしれません。児童虐待や障害者虐待に対する社会の関心は高いですが、被害を受けトラウマのある障害児者へのケアが議論のテーマに上がることは多いとはいえません。障害者のトラウマは忘れられており、誰も見ようとはしないかのようです。

　問題行動のある知的・発達障害児者や非行少年などへの支援の実践では、トラウマのある対象者への支援が大きな課題です。トラウマに関する知見やデータ、介入技法や支援の考え方などはすでに蓄積され、活発に議論されています。しかしながら、知的・発達障害児者を対象としたものはそうとまではいえません。ここが起点となり、これまでの研究の理論やその成果を取り入れながら、トラウマをテーマとした知的・発達障害児者への支援に必要なツールを開発し、実践の場で確認するというプロセスを繰り返しました。

　トラウマ（心的外傷）があり、あわせて問題行動のある知的・発達障害児者などへの支援が本書のテーマです。トラウマとその影響、関連した症状、トラウマと問題行動とのつながりなど基本的な点を述べ、さらに支援の考え方である「トラウマ・インフォームド・ケア TIC」のあらましを説明します。あわせて、実践のためのツールとして知的・発達障害児者への支援の実践に欠かせない児童期逆境体験ACEsのスクリーニングである『子ども時代のつらかった体験（ACEs）質問表』、知的・発達障害児者等を対象とした心理教育の教材『キックスタート，トラウマを理解する』の2点を具体的に紹介します。
　本書は、「1．トラウマ」「2．スクリーニングから心理教育へ」「3．実践」「4．事例に

よる解説」「5. トラウマ・インフォームド・ケア TIC の導入」の5章からなっています。

「1. トラウマ」では、トラウマの定義などを解説し、さらに感情、考え方、認知などの領域に対する児童期逆境体験ACEsの影響を述べます。基本的なことがらですが、実践に欠かすことができない重要なところです。さらに、知的・発達障害児者のトラウマ体験に関して、本人からの視点、支援者からの視点で解説します。

「2. スクリーニングから心理教育へ」は、実践に向けた考え方を整理しています。スクリーニングの必要性と目的、心理教育の重要性の2点について述べます。

「3. 実践」は、知的・発達障害児者を対象に開発した、児童期逆境体験スクリーニング『子ども時代のつらかった体験（ACEs）質問表』の概要、実施方法、実施後の整理とフィードバックを解説し、続いて心理教育教材『キックスタート, トラウマを理解する』の概要と実施方法を解説します。

「4. 事例による解説」では、「支援者とともにトラウマの影響を学んだAさん」と「性問題行動再発防止プログラム実施時にトラウマの影響に気づいたBさん」の架空の2事例を通して支援の実際を解説します。

「5. トラウマ・インフォームド・ケア TIC の導入」では、その考え方や支援の実際だけでなく、重要なポイントである再トラウマ化の防止、問題行動との関連を述べ、リカバリーへとつなげます。

「実践のためのツール」には、知的・発達障害児者などを対象にトラウマに対する心理教育を行う教材『キックスタート, トラウマを理解する』、トラウマに気づくきっかけとなる児童期逆境体験ACEsのスクリーニング『子ども時代のつらかった体験（ACEs）質問表』、スクリーニングを実施する際の参考として『「子ども時代のつらかった体験（ACEs）質問表」に答える人の同意書（例)』、スクリーニングを実施したあとにその結果を心理支援や生活支援に活かすための『「子ども時代のつらかった体験（ACEs）質問表」結果整理表』を収めています。

**心理教育教材
「キックスタート , トラウマを理解する」活用ガイド**
──問題行動のある知的・発達障害児者を支援する

◉

目次

はじめに　3

『子ども時代のつらかった体験（ACEs）質問表』『キックスタート，トラウマを理解する』活用ガイド

1. トラウマ

1-1. トラウマ ……………………………………………………………… 10

1-2. 児童期逆境体験 ACEs などのトラウマによる影響や症状 ………… 10

1-3. 知的・発達障害児者のトラウマ体験 ……………………………… 15

2. スクリーニングから心理教育へ

2-1. スクリーニングの必要性と目的 …………………………………… 17

2-2. 心理教育の重要性 …………………………………………………… 18

3. 実　践

3-1. 児童期逆境体験 ACEs のスクリーニング ………………………… 21

3-2. 『キックスタート，トラウマを理解する』による心理教育………… 27

4. 事例による解説

4-1. A さんは支援者とともにトラウマの影響を学んだ……………… 33

4-2. B さんは性問題行動再発防止プログラムの実施中にトラウマの影響に気づいた ……………………………………………………………… 41

5. トラウマ・インフォームド・ケア TIC の導入

5-1. トラウマ・インフォームド・ケア TIC の考え方·························· 51

5-2. 再トラウマ化を防ぐ ··· 52

5-3. 支援の実際 ··· 52

5-4. 問題行動との関連 ··· 55

5-5. リカバリーへ ·· 57

実践のためのツール

キックスタート, トラウマを理解する ·· 63

子ども時代のつらかった体験（ACEs）質問表 ································· 86

「子ども時代のつらかった体験（ACEs）質問表」に答える人の同意書（例）
·· 90

「子ども時代のつらかった体験（ACEs）質問表」結果整理表··············· 91

文　献　95

おわりに　97

『子ども時代のつらかった体験（ACEs）質問表』『キックスタート，トラウマを理解する』活用ガイド

1 ▶▶▶ トラウマ

1-1. トラウマ

　トラウマとは、個人が持っている対処法では対処することができないような圧倒的な出来事を体験をすることによって被る著しい心理的ストレス（心的外傷）です。その要素は3つあります。出来事 Event、体験 Experience、影響 Effect です。英語の頭文字をとってトラウマの3つの E とも呼ばれます。

　出来事は、単一のものもあれば、複数のもの、あるいは一連の出来事や状況である場合もあります。出来事は、地震や台風など自然現象と人によるものとに分かれ、さらに人によるものは、虐待や犯罪被害など人の意図がある行為と登山事故や航空機事故など事故や技術上の問題に起因するものとに分かれます。

　トラウマは身体面あるいは感情面に有害で脅威をもたらす体験です。個人の機能（神経生理学的側面を含む）や身体的、社会的、感情的、心理的な健康さや幸せに対して長い間有害な影響を及ぼします（SAMHSA, 2014a, p.xix）。その影響は、個人だけでなく、家族、グループ、地域社会、特定の文化、世代にまで及ぶことがあり、個人または地域社会の持つ対処する力を圧倒し、「戦う Fight、逃げる Flight、すくむ Freeze」反応を引き起こします

　トラウマ体験のあった人は、その直後にさまざまな急性のストレス反応を示しますが、その多くは安心できる環境や適切な心理的サポートがあれば自然に回復していきます。

　トラウマ体験はさまざまな要因によって意味づけられるので、同じ出来事に遭遇したとしても人により解釈は異なります。また、年齢によっても違いが生じます。起こった出来事は、ある人にとってはとるにたらないことと思えることであったとしても、別の人にとってはトラウマとなることがあります。

1-2. 児童期逆境体験ACEsなどのトラウマによる影響や症状

　児童期のトラウマ体験である児童期逆境体験 Adverse Childhood Experiences（頭文字を

連ねてACEsエースと呼ばれる）は、アメリカ疾病予防管理センター（Centers for Disease Control and Prevention　CDC）が実施した大規模な調査結果（Felitti, Anda, Nordenberg, Williamson, Spitz, Edwards, Koss, & Marks, 1998）によると、その後の子ども時代の社会性の発達や情緒面・認知面の発達を阻害するだけではなく、青年期、成人期にいたっても行動や社会適応、さらには身体的な健康や寿命にまでも悪影響を及ぼす可能性があることが明らかになりました（図1-1はCDCの「エース・ピラミッド」https://www.cdc.gov/violenceprevention/aces/about.html）。児童期のトラウマをもたらす出来事の体験は、その後の人生全体を左右するほどの深刻なものです。

　トラウマをもたらす経験は最近の出来事によるものもあれば、過去の幼少期の出来事によるものもあります。児童期逆境体験ACEsは「3.　実践」のスクリーニングのところで詳しく述べますが、18歳以前の体験です。またトラウマをもたらす出来事は、いわゆる児童虐待にとどまらず家庭内の問題やいじめ、差別、自然災害などを含みます。トラウマを引き起こした加害者は、その子どもの家族や同居人だけでなく、友人や知人、さらに社会全般にまで及びます。

　児童期逆境体験に限らず、被害を経験した人の多くはその直後に急性のストレス障害を示しますが、長期にわたる影響を見せることなく終息します。さまざまなソーシャル・サ

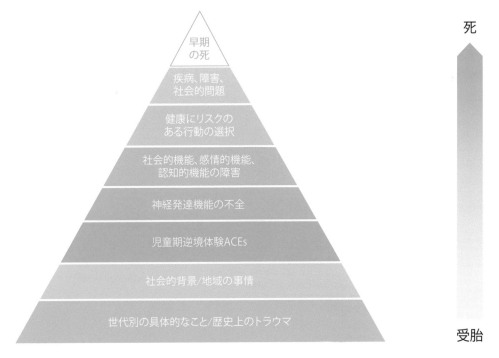

図1-1　児童期逆境体験ACEsが人生において健康と幸せに影響を与えるメカニズム

ポートを活用し、レジリエンス（「5-5. リカバリーへ」を参照）を高め、対処の能力を整えるからです。

　しかし、直後のストレス反応がおさまらず長く持続したり、それがおさまったと思っても後にトラウマ症状が出現することがあります。トラウマの影響は、感情面、身体面、認知面、行動面など、さらに自己の存在に関わる領域にまで及びます。図1-2のように、それぞれの領域へ互いに影響し、平面的に広がっているだけでなく、重層的に積み重なっています。

　以下にトラウマの影響を示します。これらは必ずしも精神疾患のサインとはいえないこと、診断には専門家の関与が必要であることに留意して下さい。なお、SAMHSA（2014a）（SAMHSAはSubstance Abuse and Mental Health Services Administration米国物質乱用精神保健管理局の略称です）の第3章「トラウマの影響の理解」（pp.59-89）を参考にしています。

自己のあり方に関わる面への影響

　人のあり方や人生を送ることに関わる反応で、公平であること、安全であること、善良であること、人生の見通しなど人生を送るうえでの前提が急速に崩れることがあります。自分が行為の主体であって、状況に対して効果的に対応しているという自己効力感が著しく低下することもあります。人生における目標を喪失し、絶望にいたることもあります。一方で、トラウマに健康的に対処しながら人生の意味を再点検し、家族や地域とのつながりなど重要度や優先順位を作りなおす契機ともなります。（p.58「レジリエンス」の説明も参照）

図1-2　トラウマの影響

感情面への影響

　トラウマに対する感情表現は実に多様なものであって、社会的背景やこれまでの生活に大きく左右されます。課題となるのは、怒り、不安、悲しみのような感情への対処だけではなく、怒りが収まらない、悲しみが長く続くなど感情の調節がうまくいかないことです。また、感情が過剰になり圧倒されそうになる、あるいは逆に過少になるなど最適なレベルに止めることが難しくなることもあります。感情が強烈であると、思考や記憶などから分離され麻痺（まひ）というトラウマ症状に発展することがあります。

身体や健康面への影響

　トラウマ体験は、その後に慢性的な健康問題につながる恐れがあります（図1-1「児童期逆境体験ACEsが人生において健康と幸せに影響を与えるメカニズム」参照）。また感情的な苦痛が、身体的な症状や身体上の問題としてあらわれることがあります（身体化）。身体的な機能に医学的な問題はないにもかかわらず、身体的な愁訴や不調感を訴えることもあります。

　睡眠障害、過覚醒という影響もあります。過覚醒は、トラウマ体験に対して対抗しようする身体的準備が整っている状態を維持しようとし、常時緊張し張りつめているような状態で、些細な刺激に反応し、落ち着きがなく注意の集中が困難になることです。トラウマ直後の防衛手段としては有効なこともありますが、すでに危険ではない環境においてもこのような状態のまま行動すれば、周囲の状況を適切に判断して行動することを妨害することもあります（SAMHSA, 2014a, pp.65-66）。

考え方や認知面への影響

　トラウマは認知に影響しその内容を変容させます。欠点はあるけれどここが自分の長所だ、こういう人になりたいなど自分自身についてのこれまでの認識や見方が一変するかもしれません。私は違う行動をすべきだった、私がしっかりしていればこんなことにならなかった、自分は無力だ、など自分に対する考え方が変わります。他人や社会など自分をとりまく世界についての見方が変わります。安全な場所なんてないから油断できない、他人を信用することはできないと極端に警戒するようになるかもしれません。将来についても同様に、人生は予測が不可能だ、なにごともこれまでと同じではない、など未来に対する見方も変わります。

　以下に認知の変化の例をいくつか示します（SAMHSA, 2014a, p.66）。

・［認知のエラー］　前のトラウマ体験にちょっと似ているからという理由だけでその対

象を危険だと誤って判断する。

・［極端または不適切な罪悪感］　被害を受けた人（サバイバー）に責任がある、または罪があると決めてかかって、トラウマ体験を認知し意味づけし克服しようとする。なぜなら同じトラウマを体験したのに誰も生き残っていないから。

・［理想化］　ある人の行動を不正確に理由づけし、理想化し、正当化する。加害者が現在養育者である、または過去にそうだった場合にはその可能性がある。

　［フラッシュバック］や［解離］も認知に関連した影響です。［フラッシュバック］とは前触れもなく願ってもいないのに以前のトラウマとなった経験をいま現実に起こっているかのように再体験することです。それは思いがけなく始まることがあり、ほんの数秒くらいだが、その後の感情の影響はなかなか消えません。映画の短いシーンのように感じられることがあります。

　［フラッシュバック］には、トラウマとなる出来事の感覚を思い出す［きっかけ］があります。トラウマの記憶や体験の一部をもたらす刺激です。音、におい、身体感覚、視覚イメージなどです。些細な刺激ですが、不意をつきます。トラウマの体験をもたらした出来事の日時と関係することもあります。

　［解離］とは、思考、感情、行動、同一性などのつながりが弱体化し、あるいは混乱し不連続になる心的過程です。トラウマ体験を想起したり、その感覚を再体験することは極度のストレスですが、それらに対して自らの経験や感情、行動と距離をおき麻痺させた結果によるものです。このような認知のゆがみや混乱は、極度のストレスに対する保護的な要素として働きます。健忘、離人など（柴山, 2007 などを参照）さまざまなあらわれ方があるため、専門家の関与が不可欠です。

行動面への影響

　現在において、過去のトラウマ体験をいろいろな形で再現し、再現を通じてトラウマを再び体験することがあります。自傷行為や危険な過度の性行動などハイリスクな行動をとることが再現となって、再体験につながることがあります。

　自殺企図、物質乱用、問題飲酒など自己破壊的な行動を選択することがトラウマ体験と結びついていることがあります。

　不快な感情、記憶、状況を和らげるために、特定の人や場所、状況を回避することがあります。回避は不安とともにあらわれ、不安症状の進み具合に一致することが多いといわれています。

1-3. 知的・発達障害児者のトラウマ体験

　障害児は被虐待の頻度は高く、なかでも知的障害児は高率であると報告されています（細川・本間, 2001）。障害者についても被虐待、権利侵害の事例は現在も多数にのぼります。一方、非行など問題行動のある児童などでは被虐待経験がより多く見られるといわれています（本多, 2008）。したがって、問題行動のある知的・発達障害児者のトラウマをもたらすような被害や侵害を過去に受けたことがある、現在も受けている可能性は極めて高いと推測されます。

　知的・発達障害児者のトラウマ体験を考える時に、その障害特性は考えなくてはなりませんが、だからといってすべてを障害特性に結びつけ、知的・発達障害児者がトラウマをもたらす出来事に遭遇するのは避けられなかった、仕方がないと考えるのは誤りです。ここでは、いくつかの視点から実践などをもとに知的・発達障害児者とトラウマ体験との関連を検討します。

本人／知的・発達障害児者

障害特性　障害特性として認知能力に限界や偏りがあるために、トラウマをもたらす出来事に遭遇した体験を被害として認識しにくいかもしれません。また、その場の人間関係や状況から影響を受けた認知は、本人の気持ちや感情の高ぶりや混乱、身体の不調などと相互に影響し合い、適切な行動の選択が難しくなることがあります。

　障害特性として記憶能力の問題もあり、いつ、どこで、何が起こったのかを正確に伝えられないことがあります。被害の報告の遅れや不十分さについては、記憶能力の問題以外にも、被害の認識、対人関係やコミュニケーションのスキル、以前の被害体験がもたらす回避などのトラウマ症状など、多くの要因を考えに入れておく必要があります。

経験の幅が狭められる　知的・発達障害があることから、経験が狭められ学ぶ機会が減少すれば、社会的スキルの発達が遅れ不十分なものとなりやすく、用心深さやリスク認識が不十分となる危険性があります。そのうえ、被害の体験があれば、トラウマに関連した問題や再被害を回避するために外出などの社会参加を減らし、行動の範囲が狭まるかもしれません。その結果、こうした危険性がより強まることがあります。

コミュニケーション　言語能力や社会生活スキルの不十分さなどからコミュニケーションのスキルも不十分なことがあります。言葉でのやりとりにおいて、会話内容を理解するだけでなく言語表現されていない話者の意図を読みとる、状況や相手の意図に応じて言葉を

選び応答を変える（かわす、あしらう、など）が十分ではないかもしれません。また、年長者や職場上司などの意見に影響されやすいこともあります。コミュニケーション・スキルだけの問題ではありませんが、ためらい、あるいは援助を求める経験の乏しさから、危機場面で援助を求めないことがあることにも留意しておく必要があります。

支援者・社会

被害に対する脆弱性に対する理解不足　知的・発達障害児者のリスクの高さはすでに知られているにもかかわらず、知的・発達障害があることが被害に対する脆弱性につながるとは考えられていなかったかもしれません。支援の対象者が被害にあったかもしれない、トラウマがあるかもしれない、という意識が支援者側に希薄なのかもしれません。なお、支援者とは福祉関係者だけでなく、家族、教育関係者など広くとらえています（以下においても同様です）。

トラウマに関する知識や経験などの不足　支援者には、トラウマとその影響に対する知識や経験が圧倒的に不足しています。そのため被害体験をスクリーニングしケアするという知識と方法を持ち合わせていません。本人の不調や困難の訴えやサインは放置されることになります。また、トラウマに関連する影響や症状を障害特性や行動特徴と混同する危険性があります。問題行動がある場合には見立て（アセスメント）を誤ることすらあります

　トラウマに関するスクリーニング、アセスメントができないためにトラウマへの対応やケアが遅れ、方向を誤ることがあります。その結果、被害の再体験（再トラウマ化）が起こり、トラウマの影響は広く深く侵入し、ケアのあり方はいっそう難しくなります。

　知的・発達障害児者への心理的支援や生活支援の実践には、次節で述べるスクリーニングによってトラウマやその影響の程度を確認することが欠かせません。

2 ▶▶▶ スクリーニングから心理教育へ

2-1. スクリーニングの必要性と目的

スクリーニングとはなにか スクリーニングとは、対象者に被害体験があったかどうかを調べるものです。対象者の被害体験の有無について、調査や面接では全貌を把握することが難しい場合、「はい」「いいえ」で答えられるスクリーニングツールは有効です。被害体験としてとらえるべき項目を可能な限りすべて、端的に、なおかつ具体的に把握することができる質問紙形式のスクリーニングであれば、対象者が被害体験と認識できなかったり、詳細を口頭で説明することが苦手だったり、心理的抵抗がある場合も回答しやすくなります。支援者にとっても、調査面接の場面で直接聞きにくい場合でも把握しやすいことになります。

被害体験とトラウマとのつながり 非行や加害行動のある対象者では、なんらかの被害体験を経験した者の比率が極めて高いことはよく知られた事実です。性問題行動のある対象者においても同様です（Levenson, Willis, & Prescott, 2017）。

　被害体験によるトラウマが、さまざまな症状や問題を引き起こすことはすでに述べました。なんの前ぶれもなく突然以前の嫌な出来事を思い出す、その情景がありありと浮かぶ、といったことを経験すると対象者は原因も理由もわからずに困惑し苦しみます。フラッシュバックなどの影響は対象者にとっては不可解なことです。

　トラウマに関する対象者の持つ知識が乏しく理解が不完全であれば、遭遇した出来事が被害であったと理解できないだけでなく、自分の問題や自分に起こる特異なことがトラウマ体験の影響を受けていると思えないかもしれません。被害体験とトラウマに関連した症状が結びつかず、そのうえ対処の方法も知らないとなれば、対象者の困惑や苦しみは慢性化するかもしれません。

トラウマに関連した症状と問題 支援者は、対象者の特徴的な行動を被害体験による影響

によるトラウマ関連症状と認識できず、理解しがたい対応困難な行動としてとらえて当惑し、支援の方向を間違う危険性があります。障害者福祉においてはアセスメントを経て個別支援計画が作成されますが、対象者の被害体験に気づかない、あるいは被害体験によってどのような影響をどの程度受けたかという認識が欠けていたとすれば、個別支援計画としては不十分です。対象者の示す行動上の問題を、障害特性による行動問題ととらえて対応するだけでは、結果としてトラウマによる影響や症状への対応は放置されたままになります。

問題行動との関連　問題行動は、対象者が自分の行動や衝動性をコントロールすることができないことが原因だ、あるいはパニックを起こしやすい特性を持っているためだと理解されるかもしれません。しかし、コントロール力の低下やパニックを起こすことが、トラウマやその関連する症状や反応であるとすれば、問題行動に対する対処法が全く変わってしまいます。

　性加害など問題行動との関連でいえば、トラウマに影響された認知の問題や感情の調整の問題などは直接の原因になるとまではいえないまでも、準備状態をつくりだす、またはきっかけとなっている可能性があります。同時に、問題行動に関連した領域だけでなく、別の領域、例えば対人関係に影響している場合も少なくありません。

スクリーニングは問題行動の理解や対応には重要　問題行動のある対象者が被害体験を経験しトラウマがある可能性があること、対象者の問題行動にトラウマによる影響が関連している可能性が高いことを考えると、対象者への心理支援や生活支援を効果的に行うために、問題行動のある対象者に被害体験があったかどうかを把握しておくことは必須です。対象者のアセスメントに、被害体験に関するスクリーニングを加えることで、対象者の問題行動を適切に理解し対応することが可能となります。

　なお、スクリーニングでは被害体験の有無だけでなく、トラウマ関連症状や問題の有無や程度も対象とされますが、ここでは他に委ねます。

2-2. 心理教育の重要性

トラウマに関連した症状や問題についての情報提供　トラウマに関する心理教育は、対象者にとってトラウマに対するファーストコンタクトです。対象者にとって、身のすくむような恐怖、困惑をもたらした過去の体験、自分の身に起きている対処できない困った状態など、これまで誰からも説明をされず取り上げてもらえなかったことを、トラウマという

言葉によって正面から説明を受ける機会です。

　トラウマに関する心理教育は、トラウマとなる出来事の理解をはじめ、トラウマに関連した症状や問題について情報を提供することです。対象者がトラウマとその体験、影響を正しく理解することが目的です。対象者自身が今の自分の状態を正しく理解することは、何よりもまず安心感の獲得につながります。自分の問題は理解可能であると認識すること、自分だけが困難なことに悩まされているわけではないこと、自分を取り巻く支援者や周囲の人々がその困難を理解してといると認識することは、トラウマからのリカバリー／回復に必要とされる安全感・安心感の獲得につながります。

安全感・安心感を取り戻す　安全を脅かされた対象者に対して、安全感・安心感を確かなものにすることは欠かせない支援です。もしトラウマに関連した記憶によって被害を受けた時の不快な感情や身体が感じた感覚などがよみがえれば、対象者の安全感は脅かされ続けます。不適応感だけが強く残り、健康さや幸福感がうばわれます。トラウマ関連の症状によって恐怖の感情や不適応を繰り返し経験した対象者にとって、今ここが安全だという確信を得ることはなかなか困難かもしれません。しかし、トラウマに関する心理教育によって自分の状態を正しく認識し、今ここは安全であると気づき、対象者の問題は対処可能なことであるというメッセージは、対象者のこれからの人生に極めて重要な支援です。

トラウマを正しく理解する　トラウマに関連した症状や反応は、自分の力ではどうすることもできない安全を脅かされた特殊な状況に対する反応であって、そのような過去の状況に対するノーマルな反応であったと理解することができます。心理教育によって、今も見られる症状や問題はトラウマによる影響を受けたものであること、しかしそれらは対処し改善できるものであること、その結果、安全で安心な日常生活を送ることができるという理解にすすめます。

トラウマを意識した支援を組み込む　心理教育はトラウマを引き起こす出来事を体験した人、あるいはその可能性のある人を対象としたものです。もし、そうした対象者やトラウマに関連した症状や問題のある対象者に対して、トラウマの観点を欠いた支援が提供されれば、対象者の問題は放置されたまま深く侵攻し、慢性化し、悪化する危険性があります。トラウマの観点から対象者を理解し、心理教育などのトラウマを意識した支援を組み込むことによって、対象者への支援はより的確なものになるはずです。

トラウマ体験の可能性のある対象者をも含める　心理教育は、スクリーニングによって、

トラウマとなる体験を特定できた時やアセスメントの結果、関連する症状や問題が特定できた場合だけに行うわけではありません。生育歴、生活歴に虐待やいじめなどの被害体験の記載があったとしても、対象者が被害を認識できていない、事実を認めたくない、あるいは他人には言いたくない、などの理由で報告していない可能性があります。トラウマ症状がトラウマ体験後すぐにあらわれないこともあって、スクリーニング後のアセスメントでトラウマ関連の症状が見られないこともあります。また、対象者が自分の状態を明確に表現できないことから症状を特定できないことも考えられます。

　スクリーニングで明確な被害体験を特定できなかったとしても、トラウマに関する心理教育は、一般的な知識として学習しておくことの利点はあります。心理教育によってトラウマに関する知識を得ることで、あらためて自分の体験をとらえ直す機会となります。また、今後出現する可能性のあるトラウマ症状やトラウマによる影響について知っておくことで、リカバリー／回復がスムーズに進められると考えられます。また、今後、被害に出会ったとき、自分自身の感情や行動をトラウマという視点から理解することができ、トラウマに関連した症状や問題の出現を予防することにつながるでしょう。

3 ▶▶▶ 実　践

3-1.　児童期逆境体験 ACEs のスクリーニング

『子ども時代のつらかった体験（ACEs）質問表』の概要

　知的・発達障害児者への支援では、これまで繰り返し述べてきたように被害体験を把握する必要性は高いことから、児童期逆境体験をスクリーニングするツールとして、Levensonら（2017, pp.257-259）をもとに『子ども時代のつらかった体験（ACEs）質問表』としてまとめました。Levensonらによる調査項目は、CDCの調査項目（カテゴリー）10項目に別の研究による8項目が加えられ、18項目から成ります。『子ども時代のつらかった体験（ACEs）質問表』はさらに自然災害体験の項目を追加して全19項目としました。知的障害者の利用を前提に、児童期逆境体験を「子ども時代のつらかった体験」とし、項目1～10は坪井（2014）の翻訳をもとに一部表現を平易にし、漢字を減らしルビをふり、試行、修正を繰り返しました。知的障害者を対象とした被害体験においては、被虐待体験や家庭機能不全だけでなく、いじめ体験も多いことから、Levensonらにおいて追加された「いじめ」項目はとりわけ重要です（本多・伊庭, 2018）。

　児童期逆境体験ACEsのスクリーニングである『子ども時代のつらかった体験（ACEs）質問表』は18歳以下の経験を対象にして、19の質問それぞれに「はい・いいえ」で回答します。以下、各項目について簡単に解説します。

① 心理的虐待：父、母、または同居人が精神的に追いつめるようなことを言う。または、恐怖心を引き起こすような振る舞いをする。
② 身体的虐待：父、母、または同居人がたたく、物を投げつける、殴る、ケガをさせるような暴力をふるう。
③ 性的虐待：加害者が大人（成人）である場合の経験、または被害者（対象者）と5歳以上の年齢差がある場合の経験を指す。年齢差が5歳未満であったとしても、関

わりたくない、参加したくないとの気持ちがあり、ある程度の強要が伴った場合の経験も含むと解する。年少児の経験も相当する。スクリーニングには性的接触や性交などが示されているが、性器や性行為を見せたり、見るよう強要するなど接触しない行為もある。

④ **心理的ネグレクト**：家族が自分のことを大切に思っていない、家族が互いに助け合わない、自分の問題を家族に話せない、自分の決断を家族が応援しないなど。

⑤ **身体的ネグレクト**：養育に必要な食事、清潔、健康、安全などを維持しての養育が不十分だった、違法薬物や飲酒のためにそれらが不十分だった、さらに一人で放置されたり、親の居場所がわからないことがあったなど。

⑥ **両親の不和（離婚、別居）**：一緒に暮らしていた両親が別居、あるいは離婚をしたかまたは親のいないところで育ったか。

⑦ **母親への暴力の暴露**：母親に対する暴力や虐待を目撃したか（暴露されたか）。

⑧ **家族の問題飲酒、違法薬物/物質の使用・乱用**：家族や同居している家族メンバーが問題になるほど飲酒したり、違法薬物や物質（大麻、コカインなど）を使用する。

⑨ **家族の精神疾患、自殺の試み**：家族や同居している家族メンバーが精神疾患と診断されたり、自殺しようとした。

⑩ **家族の刑事施設収監**：家族や同居している家族メンバーが刑務所などに収監されたことがある。

⑪ **いじめ（きょうだいを含む）**：きょうだいを含め、仲間や友人から身体への暴力や言葉の暴力による被害を受けたことがある。青少年への調査から⑪、⑫、⑬、⑭の各項目が加えられた。

⑫ **いじめ**：仲間や友人から孤立している、または拒否されている、あるいは悪意のある名前でよばれたり、噂やうそを流されたりしたことがある。

⑬ **危険な地域社会での居住、暴力の暴露**：地域社会での殴る、蹴る、銃で撃たれた人を見聞きしたことがある。近隣は安全だとは思えず、相互の信頼や気配りに乏しいと感じた。都市部の調査から⑬、⑭、⑮、⑯の各項目が加えられた。

⑭ **貧困**：家計が経済的に苦しかった時期がある程度継続した。

⑮ **差別**：人種や民族、障害などさまざまな理由でひどい扱いを受けたり、不公平に扱われたと感じたか。

⑯ **社会的養護**：児童施設や里親など家庭外で生活したことがある。

⑰ **家族の重い疾患**：家族のメンバーが重い病気にかかったり、大きなケガをしたことがある。

⑱ **家族との死別**：家族メンバーが亡くなった。

⑲ **自然災害、事故**：被害が出るほどの大きな台風、地震、洪水など自然災害を経験したことがある。

　なお、①から⑩まではCDC-Kaiser ACE Study（Fellitti et. al., 1998）によるオリジナル、⑪から⑱まではLevenson et al.（2017）による追加（原資料は以下。Wyatt, 1985; Finkelhor et. al., 2015; Levenson et. al., 2017）、⑲は本多隆司・伊庭千惠（2018）（ASB研究会）による追加です。

　なお、⑥の「親のいないところで育ったか」はLevenson et al.（2017）によるもの。⑦母親への暴力の暴露は、このスクリーニングでは家庭機能不全に分類されています。児童虐待防止法では心理的虐待とされています（法第2条4項）。

実
践 **3**

スクリーニングの実施方法

同意書の使用　『「子ども時代のつらかった体験（ACEs）質問表」に答える人の同意書』（以下、同意書という）は必要に応じて使用します。実施の目的や回答方法などが書かれています。

実施方法　スクリーニングの実施にあたっては、最初にその目的や方法を説明します。スクリーニングに回答するか、回答しないか、回答を中断するか、については回答する対象者（以下、対象者という）の自由な意思によります。強制的な実施はせず、説得もしません。

回答方法　回答方法は、（ア）自己記入、（イ）読み上げによる、（ウ）自己記入と読み上げ併用、のうちから選択します（同意書の7. を参照）。回答開始後の変更も可能です。（ア）自己記入が選択された場合でも、対象者の安全感を維持するために実施者は必ず同席します。

立会人　対象者から別の立会人の同席の求めがあれば、許可して同意書末尾にその旨を記入し、立会人として署名を求めます。また、同意書には「立会人署名欄」がありますが、必ず立会人を求めるとの趣旨ではありません。

実施上の留意点

実施中注意すべきこと　スクリーニング中にトラウマとなった出来事が再び起こっているかのように感じ、恥、罪の意識、怒り、激しい感情を引き起こすことがあります。回答の

続行が困難になることもあるかもしれません。対象者が回答を後回しにしたり、すべての質問には答えないこともあります。

終了時には現実感を取り戻す　スクリーニング終了時には対象者が現実感を取り戻すために、終了後の予定を尋ねる、あるいは具体的な行動を指示するなどグラウンディング・テクニック（地面にしっかり足を置いている感覚を意識する）を実施します。『キックスタート,トラウマを理解する』の「15. グラウンディング・テクニックをおぼえておこう」を参照のこと。

終了後に再質問することがある　すべての質問を終えた後、トラウマの履歴、その存在の可能性、トラウマに関連した症状の範囲、関連する障害を明確にするために必要な情報を引き出す必要がある場合、再質問することがあります。その際、スクリーニングの限界を認識したうえで、過度に出来事などの詳細や感情に踏み込むことなく、また侵入的にならないよう慎重に行う必要があります。対象者には、次のようなことが起こっているかもしれません。

・質問を理解していない。
・質問のある特定部分にだけ反応した。
・トラウマをたいしたことではないと矮小化している可能性があった（重大な解離または抑圧の症状を示した）。
・教示では「あなたが18歳になるまでの」と子ども時代に限定しているが、成人期以降のことや最近の出来事を回答することも珍しくない。その場合、質問と異なると否定はせず、その旨を記録にとどめる。

実施者/読み上げ者の基本的な態度

性別/ジェンダー　できるだけ実施者/面接者は対象者が最も安心できる性別/ジェンダーであることが望ましいです。同性/同ジェンダーが最適とはいえない場合もあります。

対象者の空間意識　トラウマ体験や症状のある対象者は境界線などに特有の感覚を持っていることがあるので、その個人の空間を尊重します。あまり離れて座ることなく、また近づきすぎてもいけません。

話し方・聞き方　対象者に応じて話すトーンや声の大きさを調整します。質問を読み上げ

るときは、教示、質問の順序、言語表現に変更を加えてはいけません。トラウマ体験を批判せず、個人的な視点を押しつけず、支持的に聞きます。

　対象者は、自分の発言に対する実施者の反応（言葉、表情、動作、声の調子）から、自分の行動に対する実施者の関心の程度や、実施者が不快に思ったかどうか、実施者が別の不正確な解釈をしてはいないか、などを感じとることがあります。

　トラウマ体験を聞くのは苦痛が伴い、強い感情を引き起こすことがあるので実施者自身の感情反応への注意が必要です。時に、トラウマ体験の二次受傷として対象者が過去に経験したものと同様の症状をもたらす可能性があります。

実
践　**3**

スクリーニング実施後の整理

「はい」の回答　スクリーニングで「はい」との回答があった場合には、これまでの経過や生活歴、日常生活や行動の観察、各種の検査結果などをつき合わせて詳しくアセスメントを行います。必要に応じて専門機関による精査や診断を仰ぎます。それらの結果を支援に反映させ、あとで述べるようにトラウマ・インフォームド・ケアTICとして実践します。

スクリーニング結果と情報との間に相違点がある場合　スクリーニング結果とケース記録等との間に相違がある場合には対象者に対する再質問、記録の確認、守秘義務に留意しながら関係機関への照会が必要です。ただし、再質問では先に述べた留意点に注意します。詳細な聞き取りが必要な場合は、心理教育や支援プログラムの実施にあわせて個別に行った方が対象者の安全感を維持しやすいかもしれません。

「はい」と回答したが疑問がある場合　スクリーニングでは「はい」と回答したが、ケース記録等にその記載がない場合の考え方を以下に示します。

・ケース記録等に相当する記載がないからといってその事実がなかったと判断すべきではありません。
・対象者が、対処不能だと感じた体験だったと理解している場合があります。
・対象者が明らかに誤認していると確認できれば、心理教育を実施しながら修正します。確認できなければトラウマ体験があったとして対処します。
・再質問等で回答が変動する、自信なさそうに見える、あいまいさが感じられるなどを理由に、「はい」という回答は間違いであるとすべきではありません。本人がどのように思い、感じたか、という主観性を重視します。

「いいえ」と回答したが疑問がある場合　スクリーニングでは「いいえ」と回答したが、ケース記録等にその記載がある場合の考え方を以下に示します。

・対象者の誤認、記憶の問題、否認、否定の区別は困難ですが、なんらかの理由や動機があるかもしれないので特段の慎重さをもって確認します。
・対象者の誤認などがあると判明すれば、「はい」との回答であるとして心理教育の対象として観察しつつ支援します。しかし、確認できない場合であってもトラウマ体験があったと考え、同様に支援します。
・トラウマ症状やトラウマによる障害の存在が強く疑われる場合には、トラウマ体験があると考え、心理教育の対象として観察しつつ支援します。
・回答拒否の場合は記録の内容にかかわらず、引き続き観察を続け、心理教育の対象とします。

結果の確認とフィードバック

「はい」と回答された項目　「はい」と回答された項目については、対象者の様子をていねいに観察しながら、慎重にその内容を確認する必要があります。例えば、性的虐待については、誰から、いつごろ（何歳ごろ）、どのような、1回だけかそれとも複数回であったか、被害を受けた期間など、具体的な内容を確認します。

被害体験内容の再確認時での注意　被害体験の内容を再度確認する時には、対象者の記憶があいまいで詳細を報告できない、記憶の混同や誤りがあり事実とは異なっている、具体的内容を思い出したので心理的に不安定な状態にある、言いたくない、あるいは怖くて言えないとの気持ちから答えない、などさまざまな可能性をあらかじめ考慮しておく必要があります。

　確認や再質問を行う場合、スクリーニング実施とは別の時間を確保し、被害確認のための特別な面接が必要になることもあります。

確認後のフィードバック　結果を確認した後にはフィードバックが必要です。対象者の児童期の体験は「被害」であることを伝え、さらに養育者からの「虐待」にあたるものか、「いじめ」の被害なのか、「自然災害」や「事故」で対処できず怖かった体験なのか、など大まかなカテゴリーを示します。

　フィードバックによって、対象者が被害の内容を思い出したり、あるいは、自分の体験が被害体験だった、虐待だったという事実が明らかになることによって、ショックを受け

たり、心理的に不安定になるかもしれません。そのような場合に誰かに相談することができるかを確認するとともに、対象者の脆弱性やストレングス、対処の手段などにも留意しておくことが必要です。フィードバックする間、説明以上に対象者の反応への対処に時間をさくよう心がけます。

終了時に伝えること　終了時には、対象者が困った時にはいつでも相談できること、気持ちを落ち着ける方法を伝えます。同時に、被害は過去の出来事であり、今、ここは安全であることを伝えることを忘れてはなりません。さらに、被害体験から影響を受けた可能性があることから、心理教育を導入して被害体験やトラウマについて支援者とともに学ぶ必要性を伝えます。

　終了後も対象者の状態を観察する必要があり、支援者、家族等と協力できる体制を作る必要があります。

3-2. 『キックスタート , トラウマを理解する』による心理教育

心理教育教材『キックスタート , トラウマを理解する』の概要

　『キックスタート , トラウマを理解する』はトラウマを対象とした心理教育の教材です（以下、『キックスタート』という）。知的障害のある対象者にとってトラウマについて説明される最初の機会です。その内容は対象者が初めて耳にすることばかりです。対象者の過去の体験と、今なお続く苦痛や苦悩とが結びついていることを学びます。

　同時に、心理教育を行う支援者にとってはトラウマについて説明する経験となります。キックスタート kickstart とはオートバイのペダルを踏み込んでエンジンを始動することです。対象者と支援者がトラウマについてともに学び、困難を乗り越えてリカバリー／回復に向かってスタートするのです。

　トラウマに関するスクリーニングの結果トラウマ体験があったとわかれば、支援はトラウマについての心理教育からスタートします。支援に先立つアセスメントでは対象者をつぶさにとらえますが、トラウマによる影響とその程度をも含めたアセスメントであるべきです。トラウマに関連する症状と考えられるものはないか、あるとすればどのようなものか、行動上の問題にどのようにトラウマ体験が関わっているのか、などをとらえることが求められます。アセスメントの結果からトラウマに関する心理教育へ向かう過程は支援に取り入れられるべきでしょう。

　『キックスタート』を使って心理教育を行う支援者は、あらかじめトラウマやトラウマに関連した症状や行動を理解しておく必要があります。また、対象者との関係においては、

教える者と教えられる者という関係ではなく、トラウマについて協同して学習するという姿勢を維持することが大切です。信頼関係を形成し維持することから支援が始まりますが、トラウマのある対象者にとって、他者との信頼関係を築くことはスタートであると同時にゴールになります。他者や自分を取り巻く世界を信頼し安全だと感じ、回 復に向かって進みます。

　なお、『キックスタート』は、支援の実践のなかで、研究・制作・試行・修正というサイクルを繰り返して完成をめざしました。制作にあたっては、SAMHSA（2014a）、Najavits（2002）を参考にしました。

　『キックスタート』は以下のような構成です。1シートに1テーマ、合計18シートから成っています。

　（A）トラウマについて

　　1．トラウマは心のきず

　　2．トラウマになる出来事はたくさんある

　　3．被害にあった人のせいではない

　　4．トラウマがあなたの“力”をうばった

　（B）トラウマの影響

　　5．トラウマは人のすべてに影響する

　　6．考え方/認知、からだの調子、気もちや感情、行動にトラウマは影響する

　　7．フラッシュバックがおこることがある

　　8．解離がおこることがある

　　9．きっかけがある

　　10．いやな気もちや感情を消しさろうとして問題行動につながることがある

　　11．トラウマの出来事を書き、その出来事を感じたり思いだした時の、考え方、からだの調子、気もちや感情、行動はどのようになるかを書いてみる

　　12．トラウマは考え方に影響することがある

　（C）トラウマに取りくむ

　　13．安全は最初のゴール

　　14．からだや気もちをゆったりとさせる4つの方法

　　15．グラウンディング・テクニックをおぼえておこう

　　16．トラウマのストレスには人間関係が役にたつ

　　17．まわりの人からのサポートは4種類ある

　　18．リカバリーはできる

『キックスタート』の実施とヒント

実施方法　対象者が黙読する、音読する、実施者が読み聞かせる、などの方法があります。そのページが終了したら、欄外の四角形の一つに対象者がチェックを入れ、もう一方に心理教育の実施者がチェックを入れます。表現や内容について質問されることも少なくありません。対象者の理解に応じて補足説明します。

対象者に負荷がかかる　『キックスタート』による心理教育では、対象者が自らの考えや気持ちをトラウマと関連づけて正確に自分のこととして理解し、それを言語表現することが求められます。さらに、トラウマをもたらした出来事を再び考えるという心理的な負荷が強くかかります。知的・発達障害児者にとっても、誰にとっても心理的に困難をともなう作業です。対象者のなかにはトラウマと自分の気持ちや考え方との関連に気づく人もいるので、対象者の様子に注意をはらいながら進める必要があります。

（A）**トラウマについて**　シート1からシート4はトラウマを理解するための導入部分です。シート1で、とても恐ろしい体験による心の傷をトラウマと呼ぶと説明されます。対象者が体験した出来事がトラウマの原因であることを学習します。偶然の出来事かもしれないし、誰かが引き起こした出来事かもしれません（シート2）。こうした内容は、これまで対象者が考えていたことと違うかもしれません。

　シート3〔被害にあった人のせいではない〕、シート4〔トラウマがあなたの"力"をうばった〕は導入で最も重要なところです。シート2にあげた児童虐待、犯罪被害、自然災害などを問わず、トラウマをもたらすひどい出来事にあったのは、自分に落ち度があったから、対処する能力がなかったからなど自分を責めることが多く見られます。ですから、被害にあった人のせいではないこと、トラウマがあなた（対象者）の"力"をうばったことを強調し、本人の見方や考え方が少し極端で理屈に合わないことに気づくよう、話し合う必要があります。

　時には、仕返ししたいという気持ちが表明されることがあります。仕返しはトラウマの出来事において加害者と被害者が入れ替わっただけで、被害を受けた出来事の再現であることがあります。対象者の気持ちを受け止めつつ、こうした点を説明し、仕返しが必ずしもリカバリー／回復につながらないことなどを話し合うことが必要となることがあります（5-4. の「問題行動はトラウマの出来事の再現の可能性もある」も参照）。加害者が近親者などであった場合、対象者が自分に起こった事実を受け入れるには時間を要するかもしれません。

実践3

対象者がトラウマ体験を思い出す　突然、これまで忘れていたトラウマの体験を思い出し話し始めることがあります。記録にもなく、『子ども時代のつらかった体験（ACEs）質問表』にもチェックされなかった体験かもしれません。話すチャンスをのがしたのかもしれません。話の内容によっては、『キックスタート』を一時中断して、対象者の様子を観察しながら支持的に聞きとります。

　本人自身が、驚き、戸惑って動揺する可能性もあります。一方、心理教育をすすめる実施者が、客観的な事実関係を明らかにしたいという動機が先行し、対象者を質問責めにしたり、その時どんな気持ちであったかなどことさら感情面に焦点を当てようとするかもしれません。本人が思い出した内容や表現に添いながら、実施者の考え方や気持ちを抑えて面接することも必要でしょう。

　（B）トラウマの影響　シート5からシート12は、トラウマの影響や関連する問題や症状を正しく理解することが目的です。トラウマによるフラッシュバックや解離などの症状、考え方／認知や気もちや感情などのさまざまな面へのトラウマの影響を学習します（シート5）。シート6〔考え方／認知、からだの調子、気もちや感情、行動にトラウマは影響する〕ではその具体的な例が示されています。

　シート7ではフラッシュバック、シート8では解離を説明します。体験したことがあれば理解しやすいですが、そうでなければ難しいので対象者にあわせて進めます。シート9〔きっかけがある〕でそれらにきっかけがあることを学習します。フラッシュバックや解離のきっかけを知ることは、それらに対処するうえで重要だからです。

　シート11は、対象者自身の考え方、からだの調子、気もちや感情、行動を調べて記入するシートです。書き込むには自分の感情や体調などを点検して表現する必要があるため、実施者からの促しや援助が必要となることがあります。シート6で示された例やシート7〜10で学習した内容をもとにして、自分自身の状態を確かめながら記入するような進め方も必要でしょう。

対象者の認知をとらえる　1-2. の「考え方や認知面への影響」で述べたように、特に自分自身について、他者について、社会や世界についての考え方（認知）、などがトラウマの影響を受けてゆがんだり誤ったものになることがあります（シート12）。対象者自身が気づくことが難しいので、実施者がていねいに話を聞き鋭敏にとらえなければなりません。自分には関係ない、該当するかどうかよくわからない、という感想が出るかもしれません。『キックスタート』を実施中にはわからなくとも、普段の支援のなかで誤った認知に気づくことがあるかもしれません。支援全体のなかで進める必要があります。

対象者の認知と感情を区別する　「〜だと思う」と表現されることがよく見られることからもわかるように、対象者の発言には考え方（認知）と感情が混じりあうことがあります。誰しも考え方と感情を意識的に区別し、話すことは少ないと思います。しかし、心理教育の実施者は、この表現はものの見方を言っているのだ、今は気持ちを伝えている、と意識しながら受け止めることが求められます。受け止めるとは、表明されなかった考え方や感情を推測し解釈することではありません。対象者自身の発言をしっかりと聞き、どのような考え方や感情を持っているのかを理解することが大切です。

被害体験と問題行動は関係していることがある　シート10〔いやな気もちや感情を消しさろうとして問題行動につながることがある〕は、被害体験と問題行動の関係に着目しています。問題行動を起こすきっかけは、トラウマに関連した症状を引き起こすきっかけと共通している可能性があります。対象者がトラウマからもたらされたネガティブな感情や不快感を持ちこたえられないほどつらいために、その感情や感覚への対処として問題行動を選択しているかもしれません。それに気づいた時、本来の適応的な対処方法を学ぶ契機となります。

（C）トラウマに取りくむ　シート13からシート18ではトラウマの影響やトラウマに関連した問題や症状に対する基本となる対処法を示し、読むだけでなく、実際に練習して身につけるよう進めます。最後に、最も重要な対人関係から得られる支援の大切さを示しリカバリー／回復につなげます。

　安全で安心を感じることが重要で、それがリカバリー／回復につながるのだとシート13では説明します。対象者にとって簡単なことではないかもしれませんが、あたらしい私、あらたな生活ステージに向かうスタートラインです。

　フラッシュバック（シート7）や解離（シート8）、そのきっかけ（シート9）などに対して対象者自身が行う対処として、シート14〔からだや気もちをゆったりとさせる4つの方法〕、シート15〔グラウンディング・テクニックをおぼえておこう〕があります。これらは実際に練習し、生活に役立てることが大切です。

グラウンディング・テクニックを必要な時に実施する　シート15〔グランディング・テクニックをおぼえておこう〕ではフラッシュバック、解離などへの対処法として、グラウンディング・テクニック等を紹介しています。リラクゼーションとは異なり、積極的に不快で否定的な感情から抜け出し、現実感を取り戻すことが目的です。日中プログラムを始める時や、面接や調査がひと区切り終わった時に実行するとよいかもしれません（3-1.

の「実施上の留意点」を参照)。

　ただし、注意すべき点があります。対象者に閉眼を指示すると不安や解離を促進する可能性があります。「目を閉じて」とか「力を抜いて」などの言葉かけは、性被害などを思い出すきっかけとなることがあります（Najavits, 2002, pp.125-126）。対象者によっては、こうした指示や表現は避けたほうがいいでしょう。

心理教育を支援に生かす　自己・他者・社会に対する極端で理屈に合わない考え方や認知だけでなく、シート11で明らかになった気持ちや感情、からだの調子などの状態、さらに各シートを実施した時の対象者とのやりとりなどの内容は日常生活支援に欠かすことはできません。心理教育と併行して行われている、あるいは、その後に行われる日常生活支援には、これまでに行われたスクリーニングやアセスメントの結果と心理教育の内容に照らし合わせて、支援の方向性や内容、方法の見直しや追加が必要となるかもしれません。『キックスタート』の実施によって、スクリーニングやアセスメントではわからなかった出来事や体験が明らかになったり、新たにトラウマ関連の症状が出現することも稀ではありません。

リカバリーに向かって　シート16〔トラウマのストレスには人間関係が役にたつ〕、シート17〔まわりの人からのサポートは4種類ある〕では、対人関係や社会的交流をテーマにしています。トラウマがあることを知られたくない、トラウマのことを話したくない、という気持ちから対象者は人間関係において一歩退却していたかもしれません。後に述べるトラウマ・インフォームド・ケアTICを意識しながら、支援の焦点も人間関係に比重を移し、シート18〔リカバリーはできる〕の「あたらしい私」をめざします。

4 ▶▶▶ 事例による解説

　ここでは、「支援者とともにトラウマの影響を学んだAさん」と「性問題行動再発防止プログラム実施時にトラウマの影響に気づいたBさん」の架空の2事例を通して、児童期逆境体験ACEsのスクリーニングである『子ども時代のつらかった体験（ACEs）質問表』、心理教育教材『キックスタート，トラウマを理解する』を活用し、トラウマの知識を取り入れた支援について解説します。

4-1. Aさんは支援者とともにトラウマの影響を学んだ

経過

　Aさんは25歳の女性。両親が離婚するまでは、家族そろって買い物に行ったり、小学校の運動会には両親がそろって見に来てくれることもあった。その後、母親との二人暮らしになった。次第に母親は体調をくずし、精神的にも不安定になり、仕事ができなくなった。そのため生活保護を利用していた。Aさんは特別支援学校高等部を卒業後地元のスーパーマーケットに就職したが、勤務態度が安定せず2年後に退職してしまった。

　退職後Aさんは、時々、おこづかいが欲しくなると知り合いに紹介されたアルバイトをしながら、友人と遊んだり、思うがままに暮らしていた。そのころは、友人らと万引きを繰り返したり、仲間うちでもめごとをよく起こしていた。万引きの後はスッキリした気分と、やったーという気持ち良さを感じた。仲間うちのケンカがエスカレートして相手にケガを負わせたこともあった。悪かったという気にもなったがすぐに忘れた、と言う。

　母親はこれまでと同じように、Aさんには口出しせず、就職のことも生活態度についてもAさんまかせにしていた。そんな状況を知った生活保護、障害福祉の担当者らが介入し、さらに相談支援事業所もまじえてAさんとともに将来のことを相談した。Aさんは母との不安定な生活ではなく、家を出て一人で生活したいという漠然とした希望を口にした。自立生活というAさんの目標を実現するために、就労につながる日中活動の場である就労支援サービスと居住の場としてグループホームの利用をAさんと各担当者で決めた。

これまで自由に生活してたAさんにとっては、グループホームの生活はルールが多くわずらわしく思えた。就労支援の事業所での仕事はそれほど難しくはなかったが、わからない作業工程を尋ねたり、ミスを報告するのは苦手だった。

　しばらくして、就労支援事業所の職員がAさんのちょっとした異変に気づいた。最近、作業中に動作が時々止まってしまうことがあり、はじめは疲れているのかと思っていた。また、Aさんは時々にらみつけるようなけわしい表情で一点を見つめ、時間がたつと再び作業に取り組むという奇妙な行動に職員は戸惑った。
　中堅の男性職員が声をかけると動作が緩慢になったり、その場に立ったまま動けなくなることもあった。Aさんはその男性職員を避けて、怖がっているようにも見えたが、別の若い男性職員に対してはそのような様子は見られなかった。
　グループホームの生活では、はじめの緊張もほぐれて慣れてきたように見えたが、時々まわりが心配するほど元気がなくなることがあった。そんな時、他の利用者がAさんを励まそうとして、後ろから大きな声で呼びかけたことがあった。Aさんは大変驚き、動きが止まり、うずくまって泣き出した。しばらくすると落ち着いたが、その後、Aさんはその利用者から距離をおくようになった。また、時間を守れず遅刻が増えたため、グループホームの世話人は、朝なかなか起きてこないAさんの様子を見て、十分睡眠をとれているのか気がかりだった。ある日、文房具をグループホームの他の利用者にあげているところが世話人の目にとまった。後に、Aさんが近くの店で万引きしたものだとわかった。

　グループホームや就労支援事業所でAさんの不安定な状態が目立つようになり、支援を担当する職員はAさんの行動をどのように理解していいのかがわからなくなった。支援の内容を確認するために、Aさんの同意と参加のもとに相談支援事業所、グループホーム、就労支援事業所が集まりモニタリング会議が行われた。
　グループホームや就労支援事業所での行動は、問題といえるものもあれば、そうとまでいえない行動もある。なぜこのような行動をするのか、どのように解釈すればよいのか、それぞれの担当者がさまざまな意見を述べた。Aさんの子どものころの家庭や学校での状況、スーパーマーケットをやめた後の詳細はつかみ切れていないが、グループホームからは、子どものころ食べるものが少なくいつもお腹が空いていた、母は料理をしないのでいつもインスタントのラーメンだった、と話していたエピソードが紹介された。万引きが発覚した時に、子どもの時におこづかいがもらえなかったこと、母親は何も買ってくれなかったから、自分のこづかいで好きなものが買える友だちがうらやましかったことなどを話していたことも話題となった。

相談支援事業所の嘱託医である精神科医や心理担当の非常勤職員の意見は、職員を戸惑わせるAさんの行動のいくつかは、昔の被害体験によるトラウマの影響の可能性があるというものだった。Aさんを対象に児童期逆境体験のスクリーニングを行うことを強く勧められ、その結果を踏まえて支援の内容や方向性を検討することにした。

本人の同意を得たうえで、相談支援事業所の相談支援専門員が『子ども時代のつらかった体験（ACEs）質問表』（以下、『エース（ACEs）質問表』という）を使ってスクリーニングを実施した。今後、Aさん自身が意見や希望を述べる場も設けて定期的にモニタリング会議を行い、Aさんの状況を理解し、支援の内容や方向性などを共有することとした。

スクリーニングから始めるトラウマ・インフォームド・ケアTIC

Aさんの同意のもとに、相談支援事業所の相談支援専門員が『エース（ACEs）質問表』を使用しスクリーニングを実施した。Aさんは質問の言葉の意味をいくつか尋ねた。相談支援専門員がわかりやすい言葉を使って説明する項目もあった。各項目の回答、はい（○）、いいえ（×）は表4-1の通りである。

表4-1　Aさんの『子ども時代のつらかった体験（ACEs）質問表』の結果

No	項　　目	回答	No	項　　目	回答
1	心理的虐待	○	11	いじめ	×
2	身体的虐待	×	12	いじめ・孤立	×
3	性的虐待	○	13	地域社会での暴力被害	×
4	ネグレクト（親密さ）	○	14	貧困	○
5	ネグレクト（養育）	○	15	差別	×
6	両親の不和	×	16	社会的養護	×
7	母親への暴力の暴露	×	17	家族の重い疾病	×
8	家族の飲酒・薬物問題	×	18	家族との死別	×
9	家族の精神疾患・自殺企図等	○	19	自然災害・事故・事件	×
10	家族の収監歴	×			

スクリーニングが終わった後、Aさんに項目の一部についてさらに尋ねたところ、このように答えた。

小学生のころ、両親が別れた。その後、お父さんには会ったこともない。お母さんは、私の服装や近所の人たちの態度などにいつも腹を立てていた。怒り出すとなかなか止まらなかった。そうかと思うと、ちょっとしたことで気分が落ち込み、ご飯もつくらず掃除もせず暗い部屋で寝ているだけのこともあった。日によってお母さんの機嫌が良いのか悪いのかがわからず、学校から帰ってくるのが嫌だった。

中学に入って2、3年の間、お母さんの彼氏と一緒に住んでいた。その人はいつも酒臭いにおいがし、暴れ出すと怖かったので家の外へ逃げ出したこともある。お母さんが出かけている時に、胸を触ってきたり、お風呂場でジロジロ体を見られることもあった。おそるおそるお母さんに言ったが、あんたも気をつけなさいよと言うだけで取り合ってくれなかった。

　『エース（ACEs）質問表』のスクリーニングでは、多くの被虐待体験や家庭内の問題を経験したことが確認できた。
　相談支援専門員は、Aさんのアセスメントの見直しのため、日をあらためて再度Aさんと面接した。出来事の順序や誰が誰に対して行った行為かなどを相談支援専門員が確かめながら面接を進めた。Aさんは、時々涙を浮かべながら、ぽつりぽつり次のように話した。

　「グループホームでの暮らしや就労支援事業所の作業には慣れてきたけれど、ちょっとしたことでイライラしたり落ち込んでしまう。
　『エース（ACEs）質問表』をやってみて、昔のつらかったことを少しずつ思い出したし、話してもいいんだと思うようになった。子どものころ、お母さんから一緒に死のうと何度か言われたし、ひどく怒られることもあった。家にいる男の人が体を触ってくることを言っても、助けてくれなかった。
　家のことが夢のなかにも出てきて、夜はよく眠れない。その男の人と雰囲気が似ている人が近づいてくると、体を触られたことを思い出すし、女の人の大声を聞くとお母さんに怒鳴られたことを思い出す。すると、急に不安になって体が動かなくなる」

　支援する事業所が集まって再びモニタリング会議を開催し、『エース（ACEs）質問表』の結果やAさんとの面接内容が報告された。会議の参加者は、嘱託医や非常勤心理士からの助言もあって、Aさんは児童期逆境体験によるトラウマの影響を強く受けている可能性が高いと考えた。そこで、『キックスタート，トラウマを理解する』（以下、『キックスタート』という）を用いて、トラウマに関する心理教育を実施することにした。Aさんの承諾を得て、相談支援専門員がAさんと一緒にトラウマについて学びを進めていくことにしたこの会議ではAさんに関する情報を支援者間で共有したが、性的虐待という慎重に扱うべき情報も含まれることから情報管理の範囲を明確にした。

　『キックスタート』実施に先立って、相談支援専門員は、深呼吸やグラウンディング・テクニック（地面にしっかり足を置いている感覚を意識する　『キックスタート』シート

15〔グラウンディング・テクニックをおぼえておこう〕）をＡさんと一緒に練習した。Ａさんにはトラウマの影響を受けた反応であるフラッシュバックや解離があると考えられたためである。また、Ａさんのちょっとしたことでイライラしたり気持ちが落ち込むことがあるという発言から、そのような時に他の利用者とのトラブルに発展するのではないかと考えた。そこで、普段の生活で嫌になったり、イライラした時に深呼吸やグラウンディング・テクニックをやってみることを勧めた。Ａさんはさっそく実践してみた。そしてイライラした時に深呼吸すると少しだけ落ち着いたと報告があった。

『キックスタート』を活用した心理教育

トラウマについて（『キックスタート』シート１〜４）　Ａさんには、大変怖い出来事を体験すると、トラウマという心の傷がもたらされることを教え、さまざまな出来事がトラウマとなることを伝えた（シート１）。母親が適切に養育しなかったこと、ひどく怒られて怖かった体験、男性から受けた性的被害とその体験を母親が防がなかったことなど、これらはネグレクトや心理的虐待、性的虐待という児童虐待にあたることを相談支援専門員はていねいに教えた（シート２）。

　けれども、Ａさんは自分がちゃんとしていなかったからお母さんが怒った、自分がはっきり嫌と言えなかったから身体を触られても仕方がないのだというように、なんでも自分のせいだと思っていた。きちんと伝えられないから、万引きに誘われても断れなかったんだ、とＡさんは相談支援専門員と一緒に考えて気がついた（シート３）。

　相談支援専門員は、Ａさんが少し極端で偏った考え方をすることに気づいた。母親からの虐待についてはＡさんに責任はないこと、大人には子どもの安全を守る役目があり、母親がその責任を果たさなかったことをＡさんに説明した。もちろん、Ａさんに性的虐待をした男性は強く非難されるべきだということも伝えた（シート４）。

　Ａさんは母親から虐待を受けていたと言われたことがショックだった。相談支援専門員は、Ａさんのショックを受け止めながら、Ａさんは悪くないことを伝えると同時に、盗みや傷害事件は法律違反であるとし、それらをやめるためにはどうすればよいかを考えてみようと話した。

トラウマの影響（『キックスタート』シート５〜12）　Ａさんは、トラウマについてだんだんとわかってきたが、毎晩悪夢にうなされ、しっかり寝た気がしないこと、ちょっとしたことにイライラすること、作業に集中できないことなど、日常生活で困っていることは多かった。

事例による解説　**4**

『キックスタート』には、トラウマは、その人の考え方、からだの調子、気持ちや感情、行動などに影響を与え、その結果、その人にさまざまな困った状態が起こることがたくさん書かれていたのでＡさんは驚いた（シート5、6）。相談支援専門員と一緒に一つ一つ読むと自分にも当てはまるものがいくつか見つかった。

　Ａさんは自分自身の考え方や気持ちについて聞かれてもよくわからないし、なかなか気づかない。それをどう言っていいのかもわからなかった。相談支援専門員と一緒に、『キックスタート』に書かれている具体例の中から自分に当てはまるものに印をつけたり、ふだんの生活での出来事を思い出して、どんな気持ちになるのかを考えてみた。ときどき思い浮かべる考えやしばしば感じる感情、自分の体調、これまでの行動等を点検し、自分の状態をシート11に書き出してみた（図4-1　Ａさんの考え方、からだの調子、気持ちや感情、行動）。これらはＡさんがふだんの生活のなかで困ること、うまくいかないことだが、そのほとんどが子どものころの出来事がもとになり、今の自分に影響を及ぼしているのだと相談支援専門員から説明され驚いた。

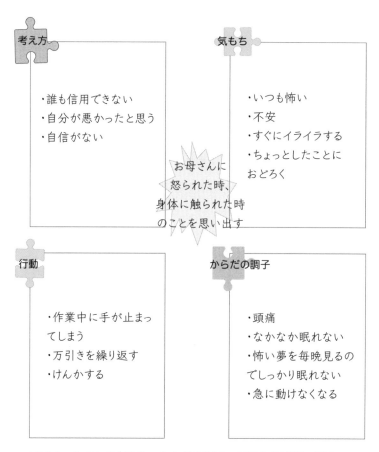

図4-1　Ａさんの考え方、からだの調子、気持ちや感情、行動

シート7〔フラッシュバックがおこることがある〕で、Aさんはフラッシュバックは、望んでいないのに過去の出来事を今も体験しているかのように思い出すことだとの説明を聞き、ずいぶん前、性的虐待を受けた時のことがありありと頭に浮かんで、とても嫌な気持ちになり泣きたくなったことを思い出した。さらに、相談支援専門員は、フラッシュバックにはきっかけがあることを説明した（シート9〔きっかけがある〕）。Aさんのフラッシュバックは、身体を触ってきた男性と年齢の近い男性が近づくことがきっかけになったと考えられる。中堅の男性職員が近づくと、Aさんは性的虐待を受けた時のことを思い出し、とても不快な気持ちになった。女性の大きな声は、母親がひどく怒った時のことを思い出させた。

シート8〔解離がおこることがある〕で、相談支援専門員は解離は自分の行動の記憶がない、自分の気持ちが感じられない、夢の中にいるような感じであり、フラッシュバックと同じようにきっかけがあると説明した。Aさんが作業中に動作が止まっている時に解離が起こっているかもしれないと思ったからだ。Aさんは、作業中に名前を呼ばれてハッとする時があると話した。気がつくと、しばらく時間がたっていたのでAさんは不思議に思っていたらしい。

Aさんは大きな声が聞こえたり、きびしく注意されると、頭がボーっとして体が固まったように感じることがあった。子どものころ、母親が怒っている声を聞いて怖かった気持ちに似ていた。ここは作業場なのに、まるで家にいるような気がしたらしい。相談支援専門員は、Aさんが作業に集中しなさいと注意されることが多いことを聞いていたので、それはトラウマの影響を受けた結果だとAさんに説明した。Aさんは自分には集中力がないから仕事ではいつも失敗すると思っていたが、トラウマのせいだと聞いて少し複雑な気持ちだが安心でもあった。

トラウマにとりくむ（『キックスタート』シート13〜18） 相談支援専門員はAさんに、呼吸法、リラクゼーション法、グラウンディング・テクニックなどは、不快で嫌な気持ち、怖くて嫌な気持ちに押し流されて現実感を失いそうな時に役に立つことを繰り返し説明した。これまで一緒に練習してきた方法を、これからもふだんの生活に取り入れることを話し合った（シート14、15）。

Aさんにとって最も重要なことは、安全な環境で安心して暮らすことが何よりも大切であると確認した（シート13）。相談支援専門員はもちろんのこと、グループホームの世話人、就労支援事業所の職員は、Aさんの安心、安全を支える大切な支援者（サポーター）であることをAさんはあらためて説明を受けた（シート16、17）。

Aさんは母親もサポーターになってほしいと思い、相談支援専門員に話してみた。しか

し、今の目標は、就労支援事業所で訓練を受け、就労して自立生活することだったとAさんは思い出した。母親のことはもう少し先にしようと思った。

　Aさんと相談支援専門員はこれまで『キックスタート』で学習したことを、再度一つずつ確かめた後、最後のシート18〔リカバリーはできる〕を一緒に読んだ。

トラウマ・インフォームド・ケアTICを日常生活支援で実践する

　『キックスタート』の心理教育を受けて、Aさんはトラウマによる影響について少しずつ理解し始めた。あるきっかけから不快な感覚におそわれて嫌な感情に押し流されること、自分は作業ができないダメな人だという自分に対する否定的な見方は、トラウマの影響であるということがわかってきた。Aさんに関わる支援者たちは、Aさんが必要な時に呼吸法、グラウンディング・テクニックなどの対処法を実行しているかチェックした。

　相談支援専門員がAさんに対して心理教育しながらトラウマの理解を進めたのにあわせて、グループホームや就労支援の事業所の支援者たちも学習を深めた。支援に関わるすべての職員がトラウマに関する知識を持っておくことが支援のスタートであった。なかでも、最も重要なのは再トラウマ化を防ぐことであった。

　大きな声が聞こえた時や注意された時に過去の嫌な感覚や感情におそわれることや、その結果「自分は作業もできないダメな人だ」と否定的な考えに至るのがAさんの再トラウマ化である。就労支援事業所でもグループホームでも、再トラウマ化をできるだけ避ける支援方法を再び検討した。

　就労支援事業所では、いつも大声で指示する必要はなく、通常の口調にしようと職員間で申し合わせた。年配の男性職員には当分の間、Aさんとの距離感に配慮するよう求めた。接近して作業指導する必要がある時には別の職員があたった。

　作業中Aさんがぼんやりしていることに気づいた職員は、Aさんに注意を与えるのではなく、今取り組んでいる作業内容について具体的に伝えたり、この後の予定を伝えるなど（この後は昼食です。あと10分したら休憩です、等）自然な言葉かけをすることにした。現実感を取り戻し、今、ここは安全であり、安心して良いことを伝えることが目的である。

　グループホームでは、にぎやかに話すのが好きな人もいるが静かで落ち着いた声が好きな人もいる、共同生活だから誰かがびっくりするような大声で呼びかけたり、話したりするのはやめよう、と世話人が利用者に対して伝えた。Aさんと他の利用者との交流が深まっていくのを期待しながら見守った。

　支援者らは、こうした支援の実践は、Aさんに限らず他の利用者にとっても安全な環境で安心して暮らすことができることにつながると感じ始めた。

トラウマは問題行動とどのようにつながっているか

　Aさんは、盗みや傷害などの問題行動を起こしたが、どれも友人と一緒に実行したことだった。悪いことだとは思っていたけれども、断るという強い気持ちにはなれなかった。日常生活で時折見られたように、Aさんは経済的に苦しく、感情的に激しい波がある不安定な母親との生活や性的虐待を思い出した時、不快で嫌な感覚と誰も助けてくれないという絶望感におそわれた。しかし、万引きや傷害などを実行したあと、そうした感情や感覚が一時的にやわらぎ、恐怖やあきらめが一瞬消えてなくなったような感覚を味わっていたのではないか。相談支援専門員はそのように考え、Aさんに問いかけた。Aさんはなぜそんなことがわかるのかとちょっと驚いた。相談支援専門員がいうように、万引きをした後はなんだかスッキリしてつらい気持ちから逃れられた気がした。

　Aさんと相談支援専門員は、このような話し合いをしながら、問題行動に頼らず、自分の気持ちを立て直し、良い結果につながる行動を身につけていくことがこれからの課題であると確認した。Aさんは虐待を受けつらい経験をした被害者であるが、問題行動は別の被害者をつくってしまう。それはいけないことだし、問題行動改善のプログラムに取り組む必要があると思った。時々不安を感じることもあるが、今は安全・安心であることを意識し、他の利用者や支援者らとの交流を広げ、問題行動をしないで「あたらしい私」に向かって取り組んでいる。

4-2. Bさんは性問題行動再発防止プログラムの実施中にトラウマの影響に気づいた

性問題行動を契機に障害者支援施設を利用する

　Bさんは知的障害のある45歳の男性である。高齢の父親と自宅で暮らし、食品工場で働いていた。母親は高齢者施設に入所していた。ところが、休日に公園で小学生の女児に声をかける、つきまとう、トイレで体を触ろうとするなどの性問題行動を繰り返し、実刑判決を受け刑務所に入った。刑務所から出るとき、定着支援センターの支援を受け、家族の状況も考慮し具体的な支援の場や方法などを検討する間、障害福祉サービスのショートステイを利用することになった。

　Bさんは、日常生活では介助も不要で、他の利用者や職員とのコミュニケーションも十分にとれていた。一方で、ショートステイの事業所では、性問題行動のあるBさんへの支援について、女性利用者との接触はできるだけ避けるべきではないか、行動の制限はしたくないが外出は慎重にしたほうがよいのではないか、などの意見が出ていた。

　今後、Bさんがどこで、どのように生活するかについて、福祉事務所、相談支援事業所、

ショートステイ事業所は、Bさん本人もまじえて検討した。Bさんには、性問題行動への対処も含めた支援が必要と考えられ、高齢の父親は同居以外の生活の場を求めたこともあり、障害者支援施設での生活を経て地域生活を目指すことになった。

障害者支援施設での様子と性問題行動への支援

Bさんの性問題行動への支援として、関係者のバックアップも得て、障害者支援施設の担当者が『性問題行動のある知的障害者のための16ステップ──「フットプリント」心理教育ワークブック　第2版』（Hansen and Kahn, 2012　本多・伊庭（監訳）, 2015。以下、『フットプリント』という）を活用して個別に支援（面接）を行うことになった。『フットプリント』は、性問題行動に対する責任を追求し反省を求めるのではなく、感情や考え方を再点検し行動を変化させて再犯を防止し、新たな生活へと向かうことを目標とした、16ステップで構成されている書き込み式のワークブックである（表4-2を参照）。

Bさんと担当者は、『フットプリント』ステップ1〔自分のことをしろう〕、ステップ2〔カウンセリングってなんだろう〕で、Bさんのこれまでの人間関係のあり方、自分自身に対

表4-2　『性問題行動のある知的障害者のための16ステップ
──「フットプリント」心理教育ワークブック』のテーマと構成

ステップ	テーマ	ステップ	テーマ
1 自分のことをしろう	自己がおかれた状態、対人関係、自己に課したルールなどを書く	9 危険ゾーン	ハイリスクな状況、行動、感情、考え方を確認し、回避手段を検討する
2 カウンセリングってなんだろう	自己の問題、目標などを正しく書く	10 選択	きっかけ、危険ゾーンを回避する別の行動の選択
3 正しいタッチ	正しいタッチ/性行動とは何か、同意とは何か、その要件	11 気もち	適切な自己主張、怒りの氷山、感情の気づきと語彙
4 わたしの歴史 わたしにおこったこと	正直に言うこと、性被害があれば明らかにする、性加害の詳細を明らかにする	12 行動のサイクル	犯罪のサイクル、悪い行動のサイクルを良い行動のサイクルに変える
5 境界線	プライベート・パブリックを分ける、自他を分ける、境界線は必ず尊重する	13 被害者と共感	自己に対する加害者への手紙、自己の加害による被害者への手紙、を書く
6 性的な気もちと人間関係	逸脱した思考や感情の気づきと停止	14 再発防止計画	再犯しない自己のルールの確認、健全な生活をおくるための方法
7 正しい考えかた	価値観、考え方のエラー（認知の歪み）	15 復習してまとめよう	これまでのステップのまとめと実行のための方法
8 きっかけ	性加害や問題行動のトリガーの認知	16 ステップを実行して生きる	「あたらしい私」に向かうためのふり返り

する考え方、今後の目指す方向などを確認し、ステップ3〔正しいタッチ〕で正しい性行動、まちがった性行動について学習した。被害者は幼いから自分のされたことがわからず気にしていないはずだ、とBさんが考えていることに担当者が気づいた。担当者は、それは間違った考え方だ、とBさんに指摘した（ステップ7で「考えかたエラー」と呼ぶ、後述）。正しい性行動の条件である「同意」について担当者はていねいに教えた。

『フットプリント』ステップ4〔わたしの歴史　わたしにおこったこと〕を進めている時、Bさんは、子どものころ知らない人から公園のトイレに連れこまれ、自分のプライベートゾーンを触られたと話した。突然打ち明けられたので担当者はひどく驚いた。Bさんはいままで誰にも話さなかったそうだ。これまで黙っていたのは、相当に苦しかっただろうと担当者は思った。

施設での支援が始まって2、3か月過ぎたころ、施設職員は時折Bさんの様子に違和感を覚えるようになった。施設内の周辺をグループで散歩していた時、集団から離れて違う方向に歩き出したBさんに、同行の職員が大声で注意した。Bさんは急に立ち止まり、ジーッと一点を見つめてしばらく動かなくなった。なかなか動こうとしないBさんに「どうしたの？」と職員が肩に手を置き呼びかけると、いままで見せたこともないようなけわしい表情で見返した。職員は驚いたが、すぐに普段の穏やかなBさんに戻った。その変化はあまりに激しかった。

作業中は、動作が緩慢で声をかけてもすぐに返事をせず、職員には何か別のことが気になっているように見えることがあった。何度か呼びかけてハッと気づくような場面が見られた。また、他の利用者の騒々しい声が聞こえた後に、Bさんは席を離れて室内をうろうろすることが増えた。聴覚が過敏とのアセスメント情報もなく、普段は真面目で穏やかに過ごしてきたBさんの混乱ぶりや作業に集中できない様子に、多くの職員は戸惑い、地域移行にはかなり時間が必要だと思うようになった。

Bさんのこれまでの生活

障害者支援施設でのBさんの変化や、過去の性被害についてBさんが話したことから、障害者支援施設、相談支援事業所、福祉事務所、定着支援センターがケア会議を開き、Bさんへの支援について検討した。性被害を受けたことがあると各事業所の責任者に伝えることは支援に必要であると、事前にBさんに相談し、Bさんの了承を得た。両親に伝えることは、Bさんに迷いがあったので今後のこととした。

これまでBさんの被害体験に関する情報は全く見当たらなかった。会議の参加者は、Bさんの状態をより理解するために被害体験という点から再度アセスメントを実施する必要があるのではないかと考え、『フットプリント』による個別支援を一時中断して、『子ども

時代のつらかった体験（ACEs）質問表』（以下、『エース（ACEs）質問表』という）を用いたスクリーニングを実施し、今後の支援方針を見直すことにした。Bさんにもていねいに説明された。

『子ども時代のつらかった体験（ACEs）質問表』によるスクリーニングの実施

Bさんの同意を得て、施設の担当者は『エース（ACEs）質問表』を使ってスクリーニングを実施した。Bさんは質問表を自分で読んでわからない箇所を同席していた担当者に尋ねた。各項目の回答、はい（○）、いいえ（×）は表4-3の通りである。

表4-3　Bさんの『子ども時代のつらかった体験（ACEs）質問表』の結果

No	項　　　目	回答	No	項　　　目	回答
1	心理的虐待	×	11	いじめ	○
2	身体的虐待	×	12	いじめ・孤立	○
3	性的虐待	○	13	地域社会での暴力被害	×
4	ネグレクト（親密さ）	×	14	貧困	×
5	ネグレクト（養育）	×	15	差別	×
6	両親の不和	×	16	社会的養護	×
7	母親への暴力の暴露	○	17	家族の重い疾病	×
8	家族の飲酒・薬物問題	×	18	家族との死別	×
9	家族の精神疾患・自殺企図等	×	19	自然災害・事故・事件	×
10	家族の収監歴	×			

Bさんの性被害は施設入所後に突然明らかになったが、スクリーニングを実施して、あらたにいじめの被害にもあっていたことがわかった。また、家庭内で父親による母親への暴力を目にしていたようだ。これまで支援にあたる事業者がつかめなかった重大な事実がいくつかあったため、スクリーニング後にBさんに面接し、内容を聞き取ることにした。Bさんは、はっきりしたことは覚えていないと言い、思い出すのがつらそうだった。いつごろ、誰が、などうまく説明するのも苦手だったため、担当者が一つ一つていねいに確認した。その内容は次のようだものであった。

小学生のころ、近くの公園で遊んでいたら、知らない男の人から声をかけられた。こっちへおいでと言われてトイレにつれて行かれ、ズボンを脱がされてプライベートゾーンを触られた。男性のプライベートゾーンに触るようにも言われた。怖くて体が動かず、逃げ出せなかった。男性はその後「誰にも言うな。言ったらひどい目にあわせるぞ」とにらんで言うとどこかへ行った。Bさんは家に帰っても、両親には何も言わなかった。男性に誰にも言うなと脅されて怖かったこともあるが、言っても誰も信じてくれない、言えばきっとお父さんやお母さんから「ついていったお前が悪い」と怒られる、「しっかりしなさい

と言ってたじゃないの」と小言を言われるに違いないと思っていた。誰にも言えず、また男に会うんじゃないかとずっと怖くてたまらなかった、と担当者に小声で言った。

　担当者は、いじめや父親から母親への暴力の目撃についても確認した。

　小学生のころ、クラスの子から、バカにされたり、たたかれたり、仲間外れにされることがよくあった。友だちがゲームやサッカーをしているところに入りたかった。勉強ができないからバカにされるんだと思っていた。

　お母さんはやさしかった。お父さんはよく怒鳴ったり、お母さんをたたいていた。お父さんは怖くてあまり近寄らなかったし、両親のけんかの最中は嫌だったのでよく公園へ行っていた。

　この結果を踏まえ、再度ケア会議が開かれた。会議参加者たちは、Bさんには見知らぬ男性による性被害があったこと、両親間の暴力を目の当たりにしていたこと（母親への暴力の暴露；家庭機能不全）、いじめ体験があったことを確認した。また、Bさんはこのような出来事にあったことを誰にも言わなかった。さらに、施設の作業中にボーっとしていたことや急に席を立ったり室内をうろうろしていたことを聞くと、Bさんはあまり覚えていないと言う。大声が聞こえてくると、とても怖くなってまわりのことがよくわからなくなってしまったらしい。

　ケア会議の参加者たちは、Bさんの施設内での理解しがたい行動は、児童期の逆境体験が影響している可能性があり、トラウマについての心理教育が必要であると考えた。施設の担当者は、これまでの性問題行動への支援に先立ち、『キックスタート, トラウマを理解する』（以下、『キックスタート』という）を活用した面接、支援に切り替えることにした。

心理教育の実施　『キックスタート, トラウマを理解する』を活用した面接

トラウマについて（『キックスタート』　シート1〜4）　担当者はBさんに、自分ではどうすることもできない体験をしたあとに、トラウマという心の傷がおこることを説明した。トラウマとなる出来事にはさまざまな種類があることを伝えた（シート1）。

　シート2に載っているトラウマになる出来事の例を順番に確認していった。Bさんはいくつかの項目に該当した。『エース（ACEs）質問表』でも確認したが、Bさんは、自分には性被害（性的虐待）、母親への暴力の目撃、いじめ被害という体験があったことを知った。

　Bさんは、被害の体験は人に言ってはいけないことだと考えていた。ひどい目にあったり、いじめられたのは、勉強ができないから、自分がダメな人だから、と考えていた。Bさんは担当者と一緒に『キックスタート』を読み進め、いじめはBさんではなくいじめた

方に責任があること、大人には子どもを守る責任があり、子どもに怖い思いをさせることは子どもを守る責任を果たしていないことなどの説明を受けた（シート3）。

　小学生の時の性被害は、自分ではどうしていいかわからないほど恐ろしく大変な出来事で、逃げたり助けを求める力をうばってしまうほどのことだった。だから、Bさんが何もできないということではないと担当者はていねいに説明した（シート4）。Bさんはこれまで思ってきたことは間違っていると言われて戸惑い、自分が悪いわけではないと考えるには少し時間が必要だった。

トラウマの影響（『キックスタート』　シート5〜12）　Bさんは、トラウマは、考え方、体調、感情、行動などさまざまな面に影響を与えること、フラッシュバックや解離などの症状を起こすことを知った（シート5、6）。

　シート7で、担当者がフラッシュバックについて説明すると、Bさんは施設で大声で呼びかけられた時、小学生のころの公園での性被害の体験が頭のなかにはっきり浮かぶことがあったと話した。父親が怒りで顔をゆがめて母親をたたいている姿を思い出すこともあると話した。担当者はそれがフラッシュバックだと説明した。大声が聞こえたことが、そのきっかけだということも付け加えた（シート9）。

　担当者が解離について説明し、もしかしたらBさんが作業中のことをあまり覚えていないのは解離の状態かもしれないと説明した（シート8）。Bさんは、解離という言葉はとても難しいと思ったが、大きな声を聴くと怖い気持ちにワーッとおおわれて、どうしたら良いかわからなくなってしまうし、その後のことはよく覚えていないと話した。解離と考えられる状況でも、大きな声がきっかけになっていることにBさんも担当者も気がついた。担当者はその時にどうすればよいのかをあとで『キックスタート』で学ぶ予定だと伝えた。

　その前にシート10で、問題行動とトラウマとの関係について考えた。

　Bさんは、自分が起こした事件のことはよく覚えていないらしいが、その日働いていた工場で失敗して怒られたことはよく覚えていると言った。出来上がった製品を箱詰めする時に落としてしまった。休憩時間にトイレへ行ったとき、職場のリーダーから大声で叱られた。Bさんは工場からの帰り道で公園にさしかかった時、職場のトイレで怒られたことを思い出し、かなり昔に公園のトイレで性被害にあったことが突然頭に浮かび、とても怖くて嫌な気持ちになったと言う。公園で遊んでいた女の子が目に入り、その時のように近くのトイレで女の子の体を触った。まわりの音も聞こえなくなり、怖くて嫌な気持ちが消えた。しばらくして警察に捕まるのではないかと思って心配になったという。

　担当者は、Bさんの性問題行動は犯罪であり、性問題行動によって嫌な記憶や気持ちを消し去ろうとしてはいけないと説明した。トラウマによって引き起こされた嫌な記憶や気

持ちは性問題行動ではなく別の方法を使って立て直していこうと説明した。

トラウマにとりくむ（『キックスタート』シート13～18）　Bさんは、ずっと昔に起きたことを何年もたった今でもはっきりと思い出す（フラッシュバック）のは自分が変になってしまったからだと思い、自分は勉強もできないダメな人だ、うまく説明したり理解できないのも自分のせいだと考えていた。しかし、今、この施設には、ひどいことを言ったり、暴力的になる人はいないこと、いじめや性被害にもあわないことを担当者とBさんはもう一度確認した（シート13）。

　嫌なことを思い出した時、怖い、つらいという感情につつまれた時、どうすればよいのかを一緒に考えてくれる人、支援者がいることをBさんは担当者と話し合った（シート16、17）。

　落ち着いて、安全・安心を感じるために、深呼吸やリラクゼーション、グラウンディング・テクニックを練習した。最初はちょっと難しかったけれど、何回か繰り返してやっていくと少しずつできるようになった。面接の場面だけではなく、日常生活のなかでも実践することにした（シート14、15）。

Bさんの性問題行動再発防止に向けたアプローチの再開

　Bさんと担当者は、『キックスタート』を使って、Bさんがトラウマの影響を強く受けていることを理解してきた。しかし、ここで、担当者はトラウマと問題行動とのつながりについて、再度Bさんと話し合った。

　担当者は、『キックスタート』でのトラウマに関する心理教育で、Bさんが以前働いていた時にミスをして叱責された時にも、今の施設での作業中に注意された時にも、幼少期の被害体験や父親から母親への暴力を目撃したことがよみがえって、Bさんは不快で嫌な気持ちを強く感じたのではないかと伝えた。怖い、つらいなどの不快な感情や、自分はダメな人などの否定的な考えにおおわれた時に、幼い女児に対して以前自分が受けた怖かった体験に似たことを実行すると、その不快な感情が消えたような気がしたのではないか、とBさんに問いかけた。だから繰り返し女児に声をかけたり、つきまとったりしたのではないかと思っていると説明した。Bさんがトラウマを思い出し、どうしても感じてしまう怖さや不快な気持ち、自分に対する否定的な考えが性問題行動をすれば消えるような気がしたとしても、それはその時だけで、トラウマを思い出すと性問題行動をまた繰り返してしまう。それでは、Bさん自身が安心して暮らすことにはつながらないとていねいに説明し話し合った。Bさんは、性問題行動をしないで自立生活を続けていくためには、もう一度『フットプリント』に取り組むことが大切だと感じた。

『フットプリント』による取り組みを再開したBさんは、ステップ3〔正しいタッチ〕を復習し、「同意」の条件について学んだ。ステップ5〔境界線〕では、プライベートとパブリックを区別することの重要性、ステップ6〔性的な気もちと人間関係〕では性的な気もちについて担当者と話し合った。

　ステップ7〔正しい考えかた〕で自分のものの見方について探った結果、いままでBさんは、相手はまだ幼くて何もわからないはずだから自分の行動はたいしたことではないと性問題行動を矮小化して言い訳をしていたことがわかった。「わからないふりをする」「問題行動はたいしたことではない」などを考えかたエラーというと担当者はBさんに教えた。

　ステップ8〔きっかけ〕で、性問題行動の引き金になることを見つける課題に取り組んだ。Bさんの性問題行動のきっかけは、仕事でミスをした時、大声で注意された時、小さな女の子を見た時、などであった。

　ステップ9〔危険ゾーン〕では、Bさん自身の考え方、感情、行動のなかに性問題行動に結びつくきっかけはないか、よく知っている場所や状況そのものがきっかけとなってはいないか、こうしたことを見つけようとした。きっかけや危険ゾーンに出会った時にどのように対処するか（脱出計画）、Bさんと担当者は実際にできそうなことを一緒に考えた。担当者は、きっかけには、性問題行動につながるものもあれば、昔の被害体験を思い出させフラッシュバックや解離を引き起こすものもあると説明した。Bさんは、トラウマにつながるきっかけに対しては、『キックスタート』で学んだ深呼吸やリラクゼーション、グラウンディング・テクニックを実行することや、支援者と話すことなどが脱出計画になると考えた。性問題行動につながるきっかけに気づいたら、その状況や場所から離れること支援者と話すこと、考え方を止めることなどを脱出計画とした。

　この脱出計画は、実行しなければ意味がないので、ステップ10（選択）の「S.O.D.A.（Stop止める、Opition別の方法、Deciding選択決定、Act実行の4つの頭文字）」を使って練習してみた。怒られて怖い、つらいという感情をいったん落ち着けてストップし、その気持ちを小さくするために性問題行動に頼らず、「わからないふりをする」「たいしたことではない」という考えかたエラーをとらずに、良い選択をする練習である。

　このような取り組みを通して、Bさんは、自分の行動、気持ち、考え方をどのように変えていけばよいのかを少しずつ理解していった。

施設全体がTICに取り組む

　Bさんと担当者との面接が進むなか、施設職員はBさんと関わる時、普段と変わらない通常の声の大きさや口調で必要な説明をすることにした。Bさんの注意がそれたり、集中力が低下していることに気づいたら、今ここで行っている活動や次の予定などをいつも通

りに伝えるようにした。また、他の利用者にも穏やかなコミュニケーションが誰にとって
も良い方法だと説明し、施設全体で穏やかなコミュニケーションを行うようにしていった。
こうした支援の工夫によってBさんの再トラウマ化を防ごうと試みた。施設全体でトラウ
マに関する理解を支援に活かすこと、トラウマ・インフォームド・ケアTICに取り組ん
だのである。

　Bさんは、安全で安心できる生活を重ね、少しずつ自分に自信を持てるようになってき
た。担当者からは、怖くなったり、自分は何もできないと落ち込んだ時には支援者に相談
してみることを提案された。Bさんは、自分には支援者／サポーターが身近にいること、
困った時には人の力をかりることが大切であることに気がついた。

　施設のすべての職員がトラウマを理解した支援を行ったことによって、Bさんがいつも
安全・安心を感じることができ、今後の生活を安定したより良いものにしていくことへの
意欲を持ち始めた。このような穏やかでていねいな関わりを実践することによって、Bさ
んだけではなく他の利用者が次の行動の見通しを持つことにも役立つことがわかってきた。
安全で安心できる生活環境は、誰にとっても快適なものであることにあらためて気づくこ
とになった。

Bさんの今後の課題

　徐々に落ち着きを取り戻してきたBさんだが、今後、自分の被害者の気持ちを理解する
取り組みや、地域移行に向けたプログラムを進めていくことが課題である。

　自分の被害者の気持ちや考え方を理解することは、被害者であり加害者でもあるBさん
にとって難しいかもしれないが、『キックスタート』で学んだトラウマの影響などがその
糸口になるだろう。

　担当者は、地域移行後の支援では、Bさんに対する『キックスタート』によるトラウマ
に関する心理教育の内容、性問題行動の再発防止を目的とした『フットプリント』の内容、
明らかになったBさんへのトラウマによる影響、性問題行動のきっかけや考えかたエラー
などについて、Bさんの了解と同意のもとに引き継がれるべきであると考えた。今後の地
域生活支援を担う各事業所でも、トラウマに関する理解を深め、トラウマの視点を加味し
た支援のあり方を検討することが必要である。

　Bさんは、地域で生活し就労することに不安はあるが、これまで担当者と一緒に学んで
きたことを実行して頑張ってみようと思っている。いつでも一緒に考えてくれる担当者や
支援者との関わりを重ね、自分はダメな人間ではなく、また地域で生活し仕事に就くこと
ができるかもしれないと感じることができるようになってきた。Bさんはようやく、安
全・安心を感じ、自分らしく暮らすスタートに着いた。

事例による解説　4

Aさんの事例、Bさんの事例では、児童期逆境体験ACEsのスクリーニングである『子ども時代のつらかった体験（ACEs）質問表』や『キックスタート，トラウマを支援する』を活用し、トラウマの知識を取り入れた支援に焦点をあて説明しました。ここではほとんどふれませんでしたが、Aさん、Bさんがそれぞれの家族とのつながりをどのように確認しあるいは再構築していくかというテーマも重要です。問題行動やトラウマに関した考え方やスキルを生活のなかで生かしていくのは、家族関係を含めた人間関係の広がりや深まりが重要であることはいうまでもありません。

5 ▶▶▶ トラウマ・インフォームド・ケア TIC の導入

5-1. トラウマ・インフォームド・ケア TIC の考え方

　トラウマ・インフォームド・ケア TIC（以下、TICと略す）とは、すべての支援者がトラウマ体験のある対象者とともに、トラウマに関する知識にもとづいてトラウマが及ぼす広範囲な影響を知り、対象者が示すトラウマの影響や症状に気づき、再トラウマ化を予防しながら、生活全般においてトラウマに対し適切に対応しつつ支援することです。TICの考え方は「4つのR」として以下のようにまとめることができます（SAMHSA, 2014b）。

・トラウマの影響は広範囲に広がり、しかも重大であることを知っている（Realize）
・対象者とその家族、それに支援者や支援の関係者は、トラウマを疑う状態やトラウマに関連した症状や問題をそうでないものと区別して理解している（Recognize）
・トラウマに関する一般的な知識と対象者に固有のトラウマに関する情報を支援の実践に生かしている（Respond）
・再トラウマ化を積極的に防止する（Resist Retraumatization）

　TICは必ずしもトラウマの解消を目指すものではありません。病理よりはストレングスを、症状の軽減よりはスキルの構築に重きを置き、トラウマ体験者のニーズに適した方法でサービスを提供するという考え方です。したがって、対象者のストレングスやレジリエンスに着目することが必要です。

　同時に、対象者の行動を「トラウマというレンズ」でとらえ直し（SAMHSA, 2014a, p.177; Levenson & Willis, 2014, p.244; Levenson et al. 2017, p.17）、支援の全体を見直す必要があります。トラウマの影響やトラウマに関連する症状や問題の観点から心理的支援や生活支援の手法や進め方を再検討、再構成する必要があります。

　TICは直接支援の担当者だけが理解し、実践すればいいというものではありません。支援者の所属する組織や機関の管理者や運営者などをはじめすべての関係者（事務、調理、

移送などの担当者も含む）の理解を徹底し、組織そのものの体制を整える必要があります

5-2. 再トラウマ化を防ぐ

　TICの重要な目的の一つは、支援の過程で生じる再トラウマ化を防ぐことです。再トラウマ化とは、以前のトラウマにつながる体験を思いださせる、あるいは反映させるような現在の状況、例えば追いつめられ閉じこめられたと感じる、虐待者によく似た外見や声などに接した結果、トラウマ性のストレスを再体験する過程を指します（SAMHSA, 2014a p.xviii）。

　信頼関係を基礎にした対象者と支援者という支援関係は、再トラウマ化の可能性を常にはらんでいます。児童期逆境体験のある対象者のなかには、自分を保護しケアした人から裏切られた体験のある人や、親密さを利用した被害を受けた人がいます。虐待的な関係では被害者は知らず知らずのうちに従属的立場に置かれることがあります。支援の対象者が児童期の逆境体験をうつし出すような人間関係を現在に再現すれば、再トラウマ化の可能性が高まります。

　権威的な態度で関わる、対象者の希望や意思を無視するといった支援方法はトラウマの再現そのものです。対象者の希望や困りごとに対して心配するほどのことではない、我慢すればよい、トラウマとは関係ない、などとして軽視や無視することは、過去に対象者が大切に扱ってもらえなかったという虐待的な人間関係の再現の危険性をはらみます。支援においては、再トラウマ化するかもしれないという意識を持つことこそが再トラウマ化を防ぐうえで最も重要です。

　再トラウマ化を引き起こす可能性のある支援の例を以下にあげます。

・トラウマが人生に過大の影響を及ぼしていることに気づかない
・トラウマとなった出来事の報告に反論する、軽視する、からかう、冗談のタネにする
・支援の対象者の反応を矮小化する、信用できないとする、無視する
・タイムアウトなどによって孤立させる、または身体拘束する
・トラウマの反応としての行動や感情を精神疾患のサインだと認識する
・適切な安全感や安心感を提供しない、または提供に失敗する

5-3. 支援の実際

　支援はTICの原則にそって進めます。これまで対象者のトラウマの存在には気づいて

はいても、それを意識して支援してこなかったかもしれません。あるいは、考え方や方法がわからないまま支援して、対象者が混乱しないかと不安になる支援者がいるかもしれません。TICは一人ひとりの支援者の実践だけでなく、支援する組織のあり方や運営についての原則や考え方でもあります。

　支援の枠組みの一例を図5-1に示します。支援の対象者に問題行動があり、そのうえトラウマがある場合には、「1．トラウマ・インフォームド・ケアTICを理解する」、「2．問題行動に対してトラウマ・インフォームド・ケアTICを実行する」、「3．生活支援においてトラウマ・インフォームド・ケアTICを実践する」の3つの領域の枠組みが考えられます。3つの領域は、図のような順で実施するという趣旨ではありません。

　多くの事例では3領域が併行して実施されるのではないかと思います。例えば、「1．トラウマ・インフォームド・ケアTICを理解する」の領域では、心理教育が終了するまでは他の領域の支援をスタートさせない、というのでは現実的ではありませんし、この領域での支援を進めることが困難な場合に「2．問題行動に対してトラウマ・インフォームド・ケアTICを実行する」の領域を先行させる場合もあるでしょう。「3．生活支援においてトラウマ・インフォームド・ケアTICを実践する」の領域は他領域の支援ができないから進められないということにはなりません。

　上記の2．や3．の領域での支援と併行して、心理教育を繰り返す場合もあります。心理教育は対象者も支援者もともにトラウマに対する気づきを推し進めるプロセスです。トラ

5
トラウマ・インフォームド・ケアTICの導入

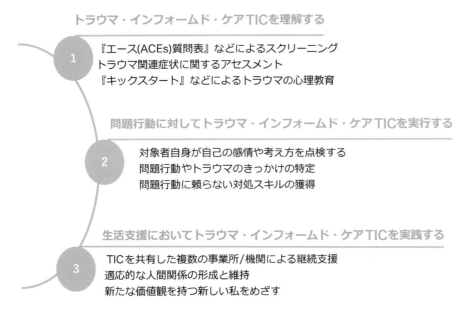

トラウマ・インフォームド・ケアTICを理解する

① 『エース(ACEs)質問表』などによるスクリーニング
トラウマ関連症状に関するアセスメント
『キックスタート』などによるトラウマの心理教育

問題行動に対してトラウマ・インフォームド・ケアTICを実行する

② 対象者自身が自己の感情や考え方を点検する
問題行動やトラウマのきっかけの特定
問題行動に頼らない対処スキルの獲得

生活支援においてトラウマ・インフォームド・ケアTICを実践する

③ TICを共有した複数の事業所/機関による継続支援
適応的な人間関係の形成と維持
新たな価値観を持つ新しい私をめざす

図5-1　支援の枠組み

ウマに関する支援が始まる前とスクリーニング、アセスメント、心理教育と進んできた時では対象者のトラウマに関連した事態への理解や感情のありようは変化しているかもしれません。支援者は対象者のトラウマに理解を深めながら、その感情の変化にあわせて支援を進めていかねばなりません。

　被害を体験した人は、人間関係において安心や安全を感じることが難しいことがあります。ですから、実際の支援は、他者からの援助を率直に受け止め難いという本人の気持ちを支援者が理解するところから始まるのかもしれません。信頼できる人間関係をつくることは支援のスタートですが、同時にトラウマのある人にとってはゴールの1つでもあります。『キックスタート』のシート17では、対人援助における1．情緒的サポート、2．情報的サポート、3．評価的サポート、4．道具的サポートといわれるものを説明しています。ここで注意すべきことは、人と人との間にある「境界線」の問題です。対象者と支援者との距離はイエスと言えないほど遠すぎる、ノーと言えないほど近すぎる、このようにならないように注意します（Najavits, 2002, p.265）。

　支援の進め方は事例によりさまざまですが、トラウマ・インフォームド・ケア TIC の考え方についてどの領域の支援の担当者も理解しており、それぞれの支援で実践されることが必要です。なお、「2．問題行動に対してトラウマ・インフォームド・ケア TIC を実行する」、「3．生活支援においてトラウマ・インフォームド・ケア TIC を実践する」に関しては、『性問題行動のある知的・発達障害児者の支援ガイド』（本多・伊庭, 2016）を参考にして下さい。

　支援はいくつかの組織や機関が役割を分担し連携しながら進めることが多いのですが、その時に課題となるのが守秘義務の範囲や内容などの情報管理のあり方です。本人に固有の属性、障害内容や程度、生活歴、被害体験の時期や内容、問題行動の内容や経過など極めて慎重な取り扱いが求められる情報が大量にあります。どのような情報をどの機関の誰に提供し共有するのかを決めておく必要があります。判断する時には本人の意思が欠かせません。特に、性被害や性加害については対象者本人が情報共有を拒むことがあるので、慎重に取り扱うべきです。関連する情報の共有の度合いが高まれば支援は充実しますが、一方本人にとって、知られたくないことが支援者全員に広まるのではないかという不安が高まるおそれがあります。個別の事例ごとにさまざまな角度からの検討と的確で慎重な判断が求められます。

5-4. 問題行動との関連

苦しくつらい感情を自己調整できない　違法薬物使用や乱用、アルコールの乱用、性問題行動、暴力などのハイリスクな問題行動は、トラウマによって持ち込まれた感情的苦痛の軽減や押さえ込みのための即効性のある対処の試みと考えることができます。カンツィアン Khantzian の「自己治療仮説 Self-Medication Hypothesis」を拡張した考え方です（Khantzian, E. J., 1997）。この仮説は本来、苦しくつらい感情を自己調整できず、違法薬物やアルコールなどの効果や作用によって緩和、変化させているのではないかという考え方です。

　これまでの臨床の経験から、性問題行動、暴力などのハイリスクな問題行動の多くも、トラウマに関連した不快感や苦しみなどに対して、対象者自身にとっては心理的なメリットはあるものの、適応的とはいえない対処方法として理解できるのではないかと考えました。

自己調整能力とはどのようなものか　自分の気持ちや考え方などを自らモニターして調節し、状況や人間関係に応じて目標を達成する能力を自己調整能力と呼びます（Levenson et. al., 2017, p.169）。この能力を生かして、日常で生じた感情や考えを調整しながら、より適応的な行動を選択し対応しています。もし、不愉快な気持ちになる、いらだつなど自分の感情などに異変を感じとれば立て直そうとします。自分自身を励ます、気持ちを誰かに伝える、人に相談する、など自己をケアする手段を取ります。こうした能力はさまざまな経験を通じて、これまでの人生でつちかってきたものです。

トラウマによる影響や症状は自己調整能力を阻害する　「1-2. 児童期逆境体験ACEsなどのトラウマによる影響や症状」で説明したように、トラウマ体験による影響は、感情面、行動面、認知面など広範囲にわたってあらわれます。虐待、家庭機能不全、いじめなどを含む児童期逆境体験は、逆境を体験した子どもに強く不快な感情をもたらすだけでなく、気持ちを落ち着かせる、気持ちを立て直すなど感情を調節する能力の形成や発達を阻害します。適切な養育環境、発達促進的な生活環境においてそれらがケアされなければ、後年にまで問題は放置されたままになります。

トラウマ体験は自己調整能力の発達に不可欠な愛着を破壊する　自己調整能力は親密で重要な大人である養育者が身近に存在してこそ発達します。不快な状況におちいっても、養育者から気遣い、慰め、励まされることによって、いつもの気持ちを取り戻すという経験

トラウマ・インフォームド・ケアTICの導入　5

を積み重ね、この能力を発達させます。親密で重要な大人との間に築かれる愛着によって
この能力は発達していきます。虐待や家庭機能不全（「3-1. 児童期逆境体験ACEsのスク
リーニング」のリストの①から⑩）は、不十分な養育環境そのものであって、愛着の形成
を阻害する要因です。愛着は人間関係の基礎となり、安全感・安心感だけでなく感情調整
の主要部分でもあります。養育者とのあいだで形成される愛着は、自己調整能力を確かな
ものにし、不安などの否定的な感情からの立ち直り、安心感や自分自身の存在する世界に
対する信頼をもたらします。

自己調整能力が機能しないとき問題行動に頼る　自己調整能力がその機能を果たせなけれ
ば、トラウマによる不快な感情や身体感覚などにおそわれた時、気持ちの混乱をうまくし
ずめて自己を立て直すことはできません。自己を取り戻すには、問題行動であっても外部
への行動化に頼らざるを得なくなります。一時的に、不快感情から解き放たれ楽になれた
恐怖や苦痛や困難を乗り越えられたと感じられることがあります。しかし、この問題行動
による適応的とはいえない対処を繰り返しても、トラウマの想起による不快な感情や、自
己への否定的な認知がなくなることはありません。対象者にとっての心理的な効果は決し
て長続きせず、しだいに問題行動の結果による弊害だけが積み重なり、新たな苦悩が生ま
れます。

問題行動はトラウマの出来事の再現の可能性もある　問題行動はまたトラウマをもたらし
た出来事を繰り返したかもしれません。自傷、物質乱用、リスクのある行動への選択など
問題行動は自己破壊行動とよばれますが、その多くは「もともとの虐待の象徴的あるいは
文字通りの再現」（Herman, 1997, p.166）としても理解できます。対象者にとってはトラ
ウマ体験を乗り越えるためだったかもしれませんが、再現は意識的で意図的ではないこと
から、安全感を大きく損ない事態を悪化するだけに終わります。

トラウマというレンズを通して不適応な行動を点検する　対象者は自分のトラウマの体験
と現在の課題や問題が強く関連していると思っていないことが多いでしょう。トラウマは
認知などに影響を与え、さまざまな人間関係上の問題やそれに起因する不適応な対処スキ
ル、自分や他者についての誤った認識の背後に存在しています。不適応で合理的とはいえ
ない対処方法は、健康的で安全な対人関係や生活を妨げる危険性があります。

問題行動の被害や被害者の共感的な理解につなげる　対象者の問題行動が被害をもたらし、
被害者をつくることがあります。自分の被害体験を不可解で不快なものとしてしりぞけ、

不十分な理解のままであれば、自分の問題行動がもたらした被害や被害者についての理解は深まりません。トラウマを正しく理解し、適切な対処方法を身につけることが目標である心理教育の役割はその意味でも重要です。そのうえで、被害や被害者に対する共感的な理解に進むために、自分の被害者に対する考え方や気持ちを明らかにすることが必要です。

　例えば、性問題行動に対するプログラム、『性問題行動のある知的障害者のための16ステップ──「フットプリント」心理教育ワークブック　第2版』では、まず被害者としての自分に焦点をあて、自分への加害者（虐待者）に対して手紙を書くという課題が設けられています（ステップ13：被害者と共感　宿題13B）。自分の体験したことを正確に書き、そのときの感情、加害者への要望などを相手に伝えようとします。

　続いて、自分の問題行動による被害者へ手紙を書くという課題が設けられています（宿題13C）。謝罪だけにとどまらず、自分の問題行動に対する真剣で誠実な理解、今後の正しく健康的な行動に対する決意とその準備の状態、などを盛り込み表現するよう求めます。この作業を通じて、被害や被害者に対する共感的な理解につながるよう努力します。

　先に紹介した『性問題行動のある知的・発達障害児者の支援ガイド』の「性暴力被害とわたしの被害者を理解するワークブック」の併用も考えられます。

　支援者はトラウマ・インフォームド・ケアTICを支援に組み込み、対象者とともに安全な環境のもとで、トラウマ体験という文脈、つまりトラウマというレンズを通して不適応な行動を検討する必要があります。その結果、適応的とはいえないネガティブな考え方や見方が存在していることがわかってきます。さらに、対象者は支援者の後押しを受け対人関係などを見直し、対象者自身が新たな社会的スキルや感情のニーズにあった健康的で効果的な方法を身につけることが期待されます。

5-5. リカバリーへ

　知的・発達障害のある対象者に対する、トラウマからの保護や予防のスタートは、支援の対象者の障害特性について個別的に知ることです。その障害特性は、被害体験に対して脆弱となるリスクがあることを理解しておく必要があります。「1-3. 知的・発達障害児者のトラウマ体験」では、対象者に被害体験が被害として認識されない可能性、認識したとしても訴えが届きにくい可能性、コミュニケーションの問題などをあげていますが、トラウマからの保護や予防に対するリスク要因として支援を必要とするポイントでもあります。

　さらに、同節で述べたように、支援や社会のあり方や考え方も重要です。対象者を孤立させない、障壁を設けない、隔離しない、こうした姿勢を強く維持し、支援として実践す

ることは先に述べた再トラウマ化を防ぐだけでなく、被害体験からの保護・予防には欠かせません。とりわけ問題行動がある場合には、施設などを利用して現実社会との間に少し距離をおいて支援が行われるかもしれません。たとえ一時的にせよ、社会とのつながりが薄れることがあったとしても、社会化する道筋ははっきりと示すべきです。

リカバリーは「回復」と訳されることが多いのですが、「健康と幸福を増進し、自己決定した人生を生きる、すべての可能性に手が届くよう努力する、こうしたことを通じて変化するプロセスを指す（SAMHSA, 2014a. p.xviii）」と理解します。トラウマ症状等の減少や緩和だけを意味するものではなく、またトラウマ前の状態に戻ることを意味するものでもありません。リカバリーには、病理よりはストレングスを、症状の軽減よりはスキルの構築を原則とします。

トラウマの体験は、その人の「パワー」をそいで無力にし、他者とのつながりを断ち切り孤立無援にします（Herman, 1997, p.133）。リカバリーの目的は、問題行動という理由で社会から距離をおくことなく、その人をエンパワメントし、再び社会のなかで人々とつながることです。リカバリーの最初の一歩は、安全の確立です。『キックスタート，トラウマを理解する』、『子ども時代のつらかった体験（ACEs）質問表』は安全をしっかりしたものにする素材のひとつです。

人生を変えてしまうような状況やトラウマになるような出来事に遭遇しても、時間の経過とともに適応していくことも多いといわれています。強いストレスに直面して適応していく過程、あるいは個人、家族、地域社会が立ち直り、逆境を乗り越える能力（SAMHSA, 2014a）をレジリエンスと呼びます。レジリエンスは個人の特性以上であって人間関係や社会からの支援などを活用しながら、重大なストレス源に直面したときにうまく適応するプロセスとされています（American Psychological Association, 2020）。

レジリエンスを高めるには、他者とのつながりを築くこと、心身の健康を気づかうこと現実的な目標を立てて進むこと、事実を正しく理解し時には変化を受け入れること、必要な時には援助を求めること、などが重要だとされています（American Psychological Association, 2020）。知的・発達障害児者のレジリエンスは、これからも実践が進み研究が積み重ねられていく課題です。

リカバリーには希望を示すことが必要です。希望はリカバリーにつながります。リカバリーにはまだいくつかのプロセスがあります。きっかけは回避のシグナルではなく、関与すべきとのサインであると理解するプロセス、トラウマの体験や記憶にこだわることなく

強力なストレスに直面すれば、トラウマの影響を受けた反応や問題が起こるのは不思議なことではないと知るプロセス、などを経てリカバリーに向かいます。

　リカバリーした私は「あたらしい私」です。家族、友人、支援者などまわりの人たちとのつながりを再び結び深めていきます。「あたらしい私」には健康で幸せになるパワーがあります。自分で決めた自分の人生の可能性をひらいていくパワーがあります。「あたらしい私」というメッセージを送り続けます。

5

トラウマ・インフォームド・ケアTICの導入

実践のためのツール

◆ キックスタート，トラウマを理解する

◆ 子ども時代のつらかった体験（ACEs）質問表

◆ 「子ども時代のつらかった体験（ACEs）質問表」に答える人の
　同意書（例）

◆ 「子ども時代のつらかった体験（ACEs）質問表」結果整理表

キックスタート,

トラウマを

<ruby>理解<rt>り か い</rt></ruby>する

ⓒ 2020ASB研究会

もくじ

トラウマについて

1. トラウマは心<ruby>心<rt>こころ</rt></ruby>のきず

2. トラウマになる<ruby>出来事<rt>できごと</rt></ruby>はたくさんある

3. <ruby>被害<rt>ひがい</rt></ruby>にあった<ruby>人<rt>ひと</rt></ruby>のせいではない

4. トラウマがあなたの"<ruby>力<rt>ちから</rt></ruby>"をうばった

トラウマの<ruby>影響<rt>えいきょう</rt></ruby>

5. トラウマは人のすべてに影響する

6. <ruby>考え方<rt>かんが</rt></ruby>や<ruby>認知<rt>にんち</rt></ruby>、からだの<ruby>調子<rt>ちょうし</rt></ruby>、<ruby>気<rt>き</rt></ruby>もちや<ruby>感情<rt>かんじょう</rt></ruby>、<ruby>行動<rt>こうどう</rt></ruby>にトラウマは影響する

7. フラッシュバックがおこることがある

8. <ruby>解離<rt>かいり</rt></ruby>がおこることがある

9. きっかけがある

10. いやな気もちや感情を<ruby>消<rt>け</rt></ruby>しさろうとして<ruby>問題行動<rt>もんだいこうどう</rt></ruby>につながることがある

11. トラウマの<ruby>出来事<rt>できごと</rt></ruby>を<ruby>書<rt>か</rt></ruby>き、その出来事を<ruby>感<rt>かん</rt></ruby>じたり<ruby>思<rt>おも</rt></ruby>いだした<ruby>時<rt>とき</rt></ruby>の、<ruby>考え方<rt>かんがかた</rt></ruby>、からだの<ruby>調子<rt>ちょうし</rt></ruby>、気もちや<ruby>感情<rt>かんじょう</rt></ruby>、<ruby>行動<rt>こうどう</rt></ruby>はどのようになるかを書いてみる

12. トラウマは考え方や認知に影響することがある

トラウマにとりくむ

13. 安全は最初のゴール

14. からだや気もちをゆったりとさせる４つの方法

15. グラウンディング・テクニックをおぼえておこう

16. トラウマには人間関係が役にたつ

17. まわりの人からのサポートは４種類ある

18. リカバリーはできる

©2020ASB研究会

トラウマは心^{こころ}のきず

　トラウマとは、命^{いのち}にかかわるような、たいへん　おそろしい出来事^{できごと}を体験^{たいけん}したときにおこる「心のきず」です。

　はげしいストレスをかんじたり、強^{つよ}いショックをうけると、トラウマ、心のきずとなることがあります。

　トラウマは、いろいろな影響^{えいきょう}をあたえ、問題^{もんだい}をひきおこします。

©2020ASB研究会

トラウマになる出来事はたくさんある

とてもこわかったこと、とてもつらかったこと、自分ではどうすることも
できなかった体験には、次のようなことがあります。

1. 大声でどなられる、ばかにされる、恥をかかされる、大変こわい思い
   をさせられる。

2. ものを投げつけられる、ひどくなぐられる、けられる。

3. 無理やりさわられる、なでまわされる、性的タッチをされる、セック
   スされる。

4. 食事や水が十分もらえない、病気やケガをしても病院などへつれて行
   ってもらえない、守ってもらえない。

5. 家族のだれかが、なぐられたり、おどされたりするのを見た。

6. ひどくいじめられた。

7. 事故にあった。地震、台風、洪水、火事でこわかった。

©2020ASB研究会

被害にあった人のせいではない

　トラウマのある人は、自分だけがつらい体験をした、自分だけはちがうんだ、自分のことはだれも理解できない、と考えがちです。だれも教えてくれないから、だれも守ってくれないから、こんなにこわくてつらい体験をしたのは　自分のせいだ、自分が悪かったからだ、自分がしっかりしていたらこんな目にはあわなかった、と思うことがよくあります。

　その考えはまちがっています。被害にあった人のせいではありません。ひどい目にあわせたり、こわがらせた人の責任です。

　事故や災害もふせぐことは　できたかもしれませんが、被害にあった人が悪いからではありません。

©2020ASB研究会

4

トラウマがあなたの"力"をうばった

　とてもこわかったこと、つらかったこと、自分ではどうすることもできなかった体験にあったとき、体が動かなくなったり、声が出せなくなることがあります。だれも助けてくれないとき、自分の力では　ふせぐことができないこともあります。

　「いうことをきけ」「絶対に言うな。言ったらもっとひどいことになる」「だれかに言ったら、お母さんが悲しむぞ」「こんなことを言っても　だれも信じてくれないはずだ」などとおどされて、だれにも言えず、助けをもとめたり、抵抗できなかったかもしれません。

　とてもこわかったこと、つらかったこと、自分ではどうすることもできないことに、ふだんと同じように行動できないのは自然なことです。トラウマがあなたの"力"をうばいました。

　暴力をふるった人、いじめた人、おどした人に責任があります。

トラウマは人のすべてに影響する

　わたしたちの考え方や認知、からだの調子、気もちや感情、行動は、ばら ばらではなく　いつもたがいに影響しあっています。すきな音楽をきく（行 動）と楽しく（感情）なりますね。トラウマは、つながりあった考え方や認 知、気もちや感情、からだの調子や行動に影響します。

　トラウマになる出来事や体験が頭にうかぶと、いやな気もちがわきあがっ たり、イライラして怒りっぽくなることがあります。逆に口数がへって元 気がなくなるかもしれません。こわいことがまたおこらないかと心配ばかり することもあります。

　友だちと遊ぼうという元気もきえてしまい、家にいることが多くなるかも しれません。毎日は灰色で、楽しむ方法が見つかりません。

©2020ASB研究会

考え方や認知、からだの調子、気もちや感情、行動にトラウマは影響する

トラウマをひきおこす出来事のすぐ後に、影響や変化がおこることがあります。しばらくして　おこることもあります。10年以上もたった後におこることもあります。

からだの調子

- すいみん障害
- 腹痛／頭痛／かんせつ痛
- きゅうに動けなくなる
- いたみを感じない
- ものわすれがひどい

気もちや感情

- いつもこわい
- 不安
- ちょっとしたことにおどろく
- すぐにイライラする
- すぐに興奮する
- いつもドキドキする
- ゆううつになる
- 落ちこむ
- 気分のムラがはげしい

行動

- 引きこもり
- 登校できない
- 仕事がつづけられない
- 酒をのみすぎる
- 違法薬物の使用
- 自傷
- パニック
- わざわざ危険な場所にいく
- 友だちや恋人ができない

考え方

- だれも信用できない
- 私はけがれていると思う
- 被害をだまっておく
- 自分が悪かったと思う
- 世の中は危険だ
- うまくやっていく自信がない

©2020ASB研究会

フラッシュバックがおこることがある

　昔おこった出来事が、いま　ここでおこった　ことのように思うことをフラッシュバックといいます。これもトラウマのしわざです。とつぜんおこるので、びっくりしてこわくなったり、不安になることがあります。心がこわれてしまったのではありません。

　頭にうかんでいる時間はみじかいのに、その時の気もちは長くつづきます。いやだったことなので、頭にうかぶと　もっといやな気もちになります。みじかい映画を見ているようだったという人もいます。

解離がおこることがある

わたしたちの気もちや感情、記憶、考え方や認知などはつながっています。ところが、トラウマとなるような出来事があると恐怖や苦しさなどの　はげしい感情がわきあがり、押しながされそうになります。感情、記憶などのつながりが弱まり、強いストレスやトラウマから守ろうとするのが解離です。解離はトラウマを経験した人によくみられると　いわれています。

自分には実行した記憶がないのに、実行したあとが残っていたり、自分が書いたおぼえのないメモや絵が残っていることがあります。その出来事を思いだすことができない、おぼえていないのです。

ある出来事の記憶があるのに、その時どう思ったか、どう感じたかが　わからないこともあります。感情が自分にわかない、自分が機械じかけであるかのように感じる、夢の中にいるかのように感じる、こうしたことがおこることがあります。

©2020ASB研究会

きっかけがある

　その時の記憶や体験を思いださせる　きっかけがあります。その出来事に関係のある場所、人、音、においなどです。きっかけに　であう前に気づくこともありますが、突然でくわすこともあります。

　たとえばの話です。むかし、事故で車にとじこめられた人がいました。いまでは事故のことはわすれていました。ある日、はいったトイレの戸がたまたま　あけられなくなりました。事故で車にとじこめられた時のこわかった出来事が、押しよせるように　よみがえりました。

　トイレの戸がひらかないことが、この人のフラッシュバック（シート7）の　きっかけです。事故から何年もたっていて、場所もまったくちがうのに。

いやな気もちや感情を消しさろうとして問題行動につながることがある

トラウマとむすびついた　いやな気もちは、なかなか頭のなかから離れようとはしません。TVを見ても、仕事に一生けんめいになっても、ゲームに熱中しても消すことはできません。どうしていいのか　わからなくなります。

問題行動に集中すると、いやな気もちから離れることができたように思うかもしれません。問題行動に集中すると、どうしようもなかった退屈な気もちをうめることができたように思うかもしれません。問題行動を実行している間は、まわりのことはまったく見えず、なにも聞こえないかもしれません。問題行動は、違法薬物の使用、大量の飲酒、性問題行動などです。多くは法律に違反しています。だから、できるだけ見つからないようにしますが、それでもトラウマは消えません。

©2020ASB研究会

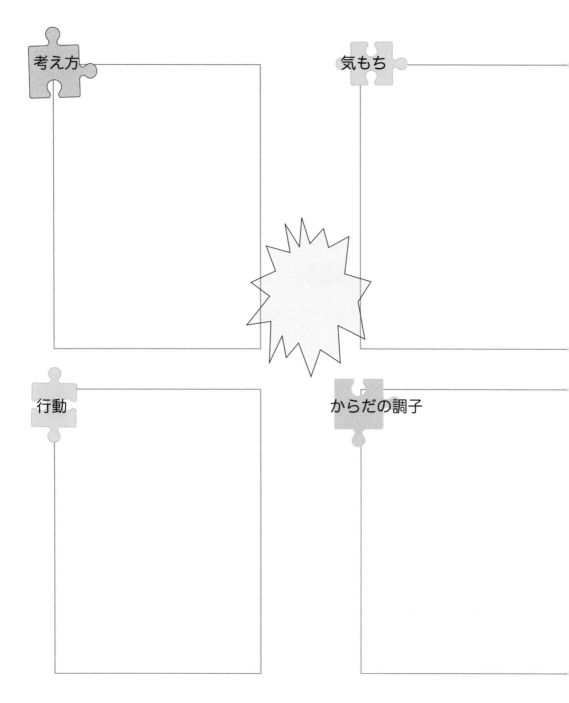

の中にトラウマの出来事を書き、その出来事を感じたり思いだした時の、考え方、からだの調子、気もちや感情、行動はどのようになるかを書いてみる

考え方

気もち

行動

からだの調子

©2020ASB研究会

トラウマは考え方や認知に影響することがある

　トラウマになる出来事を体験すると、これまであたり前だと考えていたことが、じつはそうじゃないんだ　と思うようになることがあります。

　交通ルールをまもって道を歩いていても、いままでのように安全だとは思えず、いつ自動車がとびこんでくるかと不安になります。自分だけがひどい事故にあったんだから。だれも助けてくれないし。

　自分がしっかりしていたら、こんな目にはあわなかったはずだ。なんて自分は馬鹿なんだろう、だから自分はダメなんだ、と思うようになるかもしれません。

　こんなに恐ろしいことがあったのだから、これからはうまくいくとは思えない、やりなおすなんて無理だ。そう思って、将来に期待しなくなるかもしれません。

　トラウマは、自分についての考え方や、まわりの人に対する考え方や見かたを大きくかえることがあります。トラウマがなかったら、このような考え方をしなかったはずです。この考え方もまちがっています。たしかめもせずに決めつけているからです。

　あなたを支援する人は、まわりにたくさんいます。

©2020ASB研究会

安全は最初のゴール

安全だと感じることがなによりも重要です。

いろいろなことに気をとられて心配ばかりしている、だれかにきつく言われる、傷つけられる、こんな時は安全ではありません。問題をおこすと自分の安全も人の安全もこわします。

自分がどこか　あぶなっかしい感じがする、考えと気もちがバラバラである、というのも安全ではないサインです。あなたが安全だと思うのは、どんな時ですか。

健康的な生活が安全への近みちです。その例を下にあげます。安全はリカバリー（18ページ）につながります。

・規則正しい生活をする。

・自分を応援してくれる人と話す。

・音楽やスポーツなど自分のすきなことをする。

・しっかり睡眠をとる。つかれた時は無理をしない。

・つらい気もち　ばかりで元気がでない時は専門家に相談する。

©2020ASB研究会

からだや気もちをゆったりとさせる 4つの方法

1. 深呼吸

両手をお腹の上あたりにおく。息をすう時は、両手がお腹とともに持ちあがるように深くゆっくり。両手がお腹とともに さがるようにゆっくりと息をはき出す。

口をとじて鼻でゆっくりと息をすう。その時にあせったり無理やりしてはいけない。口笛をふくような口の形で、口からゆっくり息をはく。息をすった時の2倍の長さで息をはく。

2. 漸進的筋弛緩法

体にギューっと力をいれ、そのあと、ダラーンと力をぬく。力がすっかり ぬけているのを感じる。

3. タッピング

こめかみ（目の横）をトントンたたく。

胸の上を左右交互にトントンたたく（バタフライハグ）。

背中、手の甲をやさしくトントンとたたいてもらう。

4. 手のひらをさすってもらう。

©2020ASB研究会

グラウンディング・テクニックをおぼえておこう

　トラウマの記憶やその感情におし流されて、自分がどうなったのか　わからなくった時につかう方法です。

　今、この場所で、これをしているんだ　ということを確認します。たとえば、今日の日付、なん月なん日に、〇〇事業所の作業場で作業をしている、□□スーパーで買い物をしている、自分の部屋でゲームをしている、このように日時と場所と行動を確認します。映画を見ているようなものだから、映画館から出る、見ているテレビのチャンネルを変える、と考えてみるのもよい方法です。

1. 今日はなん月なん日で、なん時かをいう。

2. まわりの様子に注意をむける。たとえば、部屋にある赤いものの名前をいう。

3. その日のこれからの予定をいう。たとえば、作業の時間、食事の時間。

4. ここは安全だ、安全のイメージをもつ。たとえば、深呼吸（シート14）、床に足をしっかりつける動作、つま先を小きざみにゆする、タッピング（シート14）

©2020ASB研究会

トラウマには人間関係が役にたつ

こんなふうに思うかもしれません。

・いやな気もちになってしまう被害のことを話すには勇気がいること

・がんばって話してもわかってくれないと思う

・いやな気もちになる被害の影響がどんなものかわからないので、安心で

きない

サポートしてほしいと言えないし、サポートするためにそばに来られた

り、話しかけられたりすると逃げだしたくなるかもしれません。

トラウマのストレスに対して適切に行動するとき、友だち、家族、支援

者、まわりの人たちは強い味方です。みんなはサポートしてくれます。まわ

りの人たちとの人間関係はサポートと同じです。

©2020ASB研究会

まわりの人からのサポートは4種類ある

おもなサポートには4つあります。

1. なやみや困っていることを真けんに聞いてくれること

2. トラウマやその影響はどんなものかを説明してくれること

3. これからやろうとしていることを、グッドアイデアだとはげまして
   くれること

4. 「からだや気もちをゆったりとさせる4つの方法」（シート14）や
   「グラウンディング・テクニック」（シート15）を教えてくれること

1. から4. はひとりがサポートしてくれる時もありますが、何人かの支援者がやってくれることもあります。でも、あなたのことについては、あなたが一番の専門家です。

リカバリーはできる

リカバリーは回復という意味ですが、トラウマの影響が気にはならないほど小さくなったとしても、逆にそうならなくても、リカバリーできます。

もっと健康になる

もっとしあわせになる

自分の人生は自分がきめる

自分の可能性をためすことができる

リカバリーする「あたらしい私」には、このパワーがあります。

リカバリーする「あたらしい私」は、家族、友だち、支援者、みんなとしっかり　つながっています。

「あたらしい私」にむかってすすみます。

©2020ASB研究会

Herman J. L. (1997).
Trauma and Recovery.
Basic Books.
ジュディス・L・ハーマン
（著）中井久夫（訳）(1996)
『心的外傷と回復』
みすず書房

Khantzian, E. J. (1997).
The Self-Medication Hypothesis
of Substance Use Disorders:
A Reconsideration and Recent
Applications.
Harvard Review of Psychiatry.
January-February 1997, Vol.4,
Issue 5, pp.231-244.

Najavits, L. M. (2002).
Seeking Safety:
*A Treatment Manual for
PTSD and Substance
Abuse.*
Guilford Press.
リサ・M・ジャナヴィッツ
（著）松本俊彦・森田展彰
（監訳）井上佳祐・今村扶
美・川地拓・古賀絵子・齋
藤聖・高野歩・谷渕由布
子・引土絵未・渡邊敦子
（訳）(2017)
『PTSD・物質乱用治療マ
ニュアル「シーキングセー
フティ」』金剛出版

SAMHSA. (2014).
*TIP 57: Trauma-Informed Care
in Behavioral Health Services.
A Treatment Improvement Protocol.*
Substance Abuse and Mental
Health Services Administration
U.S. DEPARTMENT OF HEALTH
AND HUMAN SERVICES
Retrieved from http: // store.
samhsa.gov/product/TIP-57-
Trauma-Informed-Care-in
Behavioral-Health-Services
(January 9, 2018)

エドワード・J・カンツィアン
マーク・J・アルバーニス(著)
松本俊彦(訳) (2013)
『人はなぜ依存症になるの
か：自己治療としてのアディ
クション』星和書店

ASB研究会

© 2020ASB研

子ども時代のつらかった体験（ACEs）質問表

回答日＿＿＿＿＿　年　　月　　日　氏名＿＿＿＿＿＿＿

　あなたが18歳になるまでの、子どもの時の体験と家庭生活について、教えてください。「はい」「いいえ」のどちらかに○をつけてください。

1）あなたの父、母、またはあなたと生活していた大人は、よく、またはとてもよく、あなたを大声でしかる、ばかにする、悪口を言う、あなたに恥をかかせる、ことをしていましたか。
　または、ケガをさせられると思うほど　こわくなるような行動をしていましたか。

はい　・　いいえ

2）あなたの父、母、またはあなたと生活していた大人は、よく、またはとてもよく、あなたを押す、つかむ、ピシャリとたたく、あなたに物を投げつける、ことをしていましたか。
　または、あなたに傷あとが残ったり、ケガをするほど強く、あなたをなぐったことが一度でもありましたか。

はい　・　いいえ

3）大人、またはあなたよりも5歳以上うえの人が、あなたにさわる、なでまわす、またはあなたにその人のからだを性的タッチさせたことが、一度でもありましたか。
　または、その人が、あなたと口や肛門によるセックス、性交をしようとした、あるいは実際にしたことが一度でもありましたか。

はい　・　いいえ

1/4

4）あなたは、よく、またはとてもよく、家族のだれひとりとして あなたを愛していない、またはあなたのことが大切だ、特別だと思っていないと感じていましたか。

　または、あなたの家族は、おたがいを気にかけたり、おたがいに親しみを感じたり、おたがいをささえあったり　していないと感じていましたか。

はい　・　いいえ

5）あなたは、よく、またはとてもよく、食事を十分にくれない、よごれた服を着るしかない、だれも守ってくれない　と思いましたか。

　または、両親がお酒や違法薬物の影響で世話をしてくれない、または必要な時に医者へつれて行ってくれない、と思いましたか。

はい　・　いいえ

6）あなたの両親は、結婚してない、別居していた、または離婚していましたか。または、親がいないところで育ちましたか。

はい　・　いいえ

7）あなたの母親、または義理の母親は、よく、またはとてもよく、押される、つかまれる、ピシャリとたたかれる、物を投げつけられることがありましたか。

　または、たまに、よく、またはとてもよく、けられる、かまれる、こぶしやかたい物でなぐられることがありましたか。または、数分間なんどもなぐられる、銃や刃物でおどされることが一度でもありましたか。

はい　・　いいえ

8）あなたと生活していた人のなかに、お酒をのんで問題をおこす人や、アルコール中毒の人、違法薬物を使う人がいましたか。

はい　・　いいえ

子ども時代のつらかった体験（ACEs）質問表

2/4

9）あなたと生活していた人のなかに、うつ病、精神病、自殺の心配があった人はいましたか。

はい ・ いいえ

10）あなたと生活していた人のなかに、刑務所に　はいったことがある人がいましたか。

はい ・ いいえ

11）まわりの子は、きょうだいもふくめて、よく、またはとてもよく、あなたをたたく、あなたをおどす、あなたをいじめる、あなたをばかにする　ことがありましたか。

はい ・ いいえ

12）あなたは、よく、またはとてもよく、ひとりぼっちだ、だれも相手にしてくれない、だれひとり好いてくれない　と感じましたか。

はい ・ いいえ

13）あなたは危険な地域にすんでいましたか。またはそこで　だれかが暴力をうけたり、ケガをさせられるのを見ましたか。

はい ・ いいえ

14）あなたの家庭が大変貧しい時、または福祉サービスを利用した時が、2年またはそれ以上、ありましたか。

はい ・ いいえ

3/4

15）あなたの人種や民族が原因で不公平、または不利なあつかいをうけたことがありますか。

はい ・ いいえ

16）あなたは、一度でも自分の家庭以外で育てられたことがありますか。

はい ・ いいえ

17）あなた、または家族のだれかが一度でも　おもい病気や　大きなけがをしたことがありますか。

はい ・ いいえ

18）家族のだれかが　なくなりましたか。

はい ・ いいえ

19）あなたは、地しんや洪ずいなどの自然災害、大きな交通事故、ひどい事件や火事にあいましたか。またはそのような出来事にあった人を見たことがありますか。TVや写真などをみたことは　はいりません。

はい ・ いいえ

子ども時代のつらかった体験（ACEs）質問表

【文献】
・Levenson, J. S., Willisp. G. M., & Prescott, D. S. (2017). *Trauma-Informed Care: Transforming Treatment for People Who Have Sexually Abused.* Safer Society Press. pp.257-259.
・坪井聡（研究代表者）(2014)「児童虐待の被害を測定する国際的調査票の日本語版の作成 科学研究費助成事業　研究成果報告書」Retrieved from https://kaken.nii.ac.jp/ja/grant/KAKENHI-PROJECT-24790625/（January 9, 2018）を著者の承諾を得て一部改変
・本多隆司・伊庭千惠（2018）「性問題行動の心理支援/生活支援への児童期逆境体験ACEスクリーニングの導入──トラウマ・インフォームド・ケアTICに向けて」；ASB研究会

「子ども時代のつらかった体験（ACEs）質問表」

に答える人の同意書

私　（エース（ACEs）質問表に答える人）、_____は、_____年____月____日に調査者_____から下の説明を聞きました。

1. エース（ACEs）質問表では、あなたの子どもの時のできごとについて質問します。18歳になる前のできごとです。
2. 子どもの時のできごとが、いまの生活に影響しているかも　しれません。
3. このエース（ACEs）質問表は、あなたのことをもっとよく知って、あなたの支援に役立てるためにおこないます。
4. このエース（ACEs）質問表に答えるかどうかは、あなたが決めます。
5. エース（ACEs）質問表に答えると決めたあとでも、やめることができます。また、質問に答えないことも　できます。
6. エース（ACEs）質問表に答えたことは、研究に使うことがあります。そのときは、あなたに説明し、あなたの名前や住所は秘密にします。
7. エース（ACEs）質問表のやり方は3つあります。ひとつをえらんで、○をつけてください。

   （ア）質問を自分で読んで答える。

   （イ）質問をだれかに読んでもらう。

   （ウ）質問を自分で読んで答えるが、だれかにも読んでほしい。

8. この同意書にサインをすると、自分のすることを理解し、この質問に答えることを自分で決めた、ということをあらわします。

上の1．から8．までの説明を聞き、理解し、同意（ハイと思うこと）したのでサインします。

サインした日_____年_____月_____日

エース（ACEs）質問表に答える人のサイン_____

成年後見人・保佐人・補助人のサイン_____

立会人のサイン_____

		質問	回答
		「子どもの時代のつらかった体験（ACEs）質問表」結果整理表	
		事例No.（　　　　　　　　　）　実施日　　年　　月　　日	
1	心理的虐待	あなたの父、母、またはあなたと生活していた大人は、よく、またはとてもよく、あなたを大声でしかる、ばかにする、悪口を言う、あなたに恥をかかせる、ことをしていましたか。 または、ケガをさせられると思うほど こわくなるような行動をしていましたか。	はい・いいえ
		確認内容	
2	身体的虐待	あなたの父、母、またはあなたと生活していた大人は、よく、またはとてもよく、あなたを押す、つかむ、ピシャリとたたく、あなたに物を投げつける、ことをしていましたか。 または、あなたに傷あとが残ったり、ケガをするほど強く、あなたをなぐったことが一度でもありましたか。	はい・いいえ
		確認内容	
3	性的虐待	大人、またはあなたよりも5歳以上うえの人が、あなたにさわる、なでまわす、またはあなたにその人のからだに性的タッチさせたことが、一度でもありましたか。 または、その人が、あなたと口や肛門によるセックス、性交をしようとした、あるいは実際にしたことが一度でもありましたか。	はい・いいえ
		確認内容	
4	ネグレクト（愛情）	あなたは、よく、またはとてもよく、家族のだれひとりとして あなたを愛していない、またはあなたのことが大切だ、特別だと思っていないと感じていましたか。または、あなたの家族は、おたがいを気にかけたり、おたがいに親しみを感じたり、おたがいをささえあったりしていないと感じていましたか。	はい・いいえ
		確認内容	
5	ネグレクト（養育）	あなたは、よく、またはとてもよく、食事を十分にくれない、よごれた服を着るしかない、だれも守ってくれない と思いましたか。 または、両親がお酒や違法薬物の影響で世話をしてくれない、または必要な時に医者へつれて行ってくれない、と思いましたか。	はい・いいえ
		確認内容	

「子ども時代のつらかった体験（ACEs）質問表」結果整理表

		事例No. （ ） 実施日 年 月 日	
		質問	回答
6	両親の別居・離婚（家庭機能不全）	あなたの両親は、結婚してない、別居していた、または離婚していましたか。または、親がいないところで育ちましたか。	はい・いいえ
		確認内容	
7	母親への暴力への暴露（家庭機能不全）	あなたの母親、または義理の母親は、よく、またはとてもよく、押される、つかまれる、ピシャリとたたかれる、物を投げつけられることがありましたか。または、たまに、よく、またはとてもよく、けられる、かまれる、こぶしや かたい物でなぐられることがありましたか。または、数分間なんどもなぐられる、銃や刃物でおどされることが一度でもありましたか。	はい・いいえ
		確認内容	
8	飲酒・違法薬物使用 家族の問題（家庭機能不全）	あなたと生活していた人のなかに、お酒をのんで問題をおこす人や、アルコール中毒の人、違法薬物を使う人がいましたか。	はい・いいえ
		確認内容	
9	家族成員の精神疾患（家庭機能不全）	あなたと生活していた人のなかに、うつ病、精神病、自殺の心配があった人はいましたか。	はい・いいえ
		確認内容	
10	家族の刑事施設入所（家庭機能不全）	あなたと生活していた人のなかに、刑務所に はいったことがある人がいましたか。	はい・いいえ
		確認内容	
11	いじめ（暴力）	まわりの子は、きょうだいもふくめて、よく、またはとてもよく、あなたをたたく、あなたをおどす、あなたをいじめる、あなたをばかにすることがありましたか。	はい・いいえ
		確認内容	

事例No.（　　　　　）　実施日　　年　　月　　日		
	質問	回答
12 いじめ（孤立）	あなたは、よく、またはとてもよく、ひとりぼっちだ、だれも相手にして くれない、だれひとり好いてくれない　と感じましたか。	はい・いいえ
	確認内容	
13 地域社会での暴力被害	あなたは危険な地域にすんでいましたか。またはそこで　だれかが暴力 をうけたり、ケガをさせられるのを見ましたか。	はい・いいえ
	確認内容	
14 貧困	あなたの家庭が大変貧しい時、または福祉サービスを利用した時が、2年 またはそれ以上ありましたか。	はい・いいえ
	確認内容	
15 差別	あなたの人種や民族が原因で不公平、または不利なあつかいをうけたこ とがありますか。	はい・いいえ
	確認内容	
16 社会的養護	あなたは、一度でも自分の家庭以外で育てられたことがありますか。	はい・いいえ
	確認内容	
17 家族の疾病	あなた、または家族のだれかが一度でも　おもい病気や　大きなけがを したことがありますか。	はい・いいえ
	確認内容	

「子ども時代のつらかった体験（ACEs）質問表」結果整理表

		事例No.（ 　　　　　　　　 ） 実施日 　　年　　　月　　　日	
		質問	回答
18	家族の死亡	家族のだれかが　なくなりましたか。	はい・いいえ
		確認内容	
19	災害・事故	あなたは、地しんや洪ずいなどの自然災害、大きな交通事故、ひどい事件や火事にあいましたか。またはそのような出来事にあった人を見たことがありますか。TVや写真などをみたことは　はいりません。	はい・いいえ
		確認内容	
まとめ		ACEsスクリーニング実施時の気づき / 今後のアセスメント・支援への活用ポイント等	

文　献

・American Psychological Association（APA）（2020）. Building your resilience. Retrieved from http://www.apa.org/topics/resilience（May 25, 2020）.

・Centers for Disease Control and prevention（CDC）. Retrieved from http://www.cdc.gov/violenceprevention/childabuseandneglect/acestudy/about.html（January 21, 2020）.

・Felitti, V. J. , Anda,R. F., Nordenberg, D., Williamson, D F., Spitz, A. M., Edwards, V., Koss, M. P., & Marks, J. S.（1998）. Relationship of Childhood Abuse and Household Dysfunction to Many of the Leading Causes of Death in Adults. The Adverse Childhood Experiences（ACE）Study. *American J. of Preventive Medicine.* Vol.14, Issue 4, pp.245-258.

・Findings from the Philadelphia Urban Ace Survey（2013）. Retrieved from https://www.philadelphiaaces.org/philadelphia-ace-survey（March 5, 2021）.

・Finkelhor, D, Shattuck, A., Turner, H., & Hamby, S.（2015）. A revised inventory of Adverse Childhood Experiences. *Child Abuse & Neglect.* 48, pp.13-21.

・Hansen, K. & Kahn, T. J.（2012）. *Footprints: Steps to a Healthy Life.* Second Edition. Safer Society Foundation, Inc.（クリシャン・ハンセン, ティモシー・カーン（著）本多隆司・伊庭千惠（監訳）（2015）『性問題行動のある知的障害者のための16ステップ──「フットプリント」心理教育ワークブック　第2版』明石書店）

・Herman J. L.（1997）. *Trauma and Recovery: The Aftermath of Violence - From Domestic Abuse to Political Terror.* Basic Books.（ジュディス・L・ハーマン（著）中井久夫（訳）（1996）『心的外傷と回復』みすず書房　※原著1992年版の邦訳）

・細川徹・本間博彰（2001）わが国における障害児虐待の実態とその特徴、平成13年度厚生科学研究費補助金（子ども家庭総合事業）「乳幼児期の虐待防止および育児不安の母親の支援を目的とした母子保健に関する研究」分担研究報告書　https://mhlw-grants.niph.go.jp/project/5447（October 9, 2021）

・本多隆司（2008）「反社会的行動を示した知的障害者への支援──被虐待体験との関連についての予備的調査」種智院大学仏教福祉学　No.15-16, pp.115-127.

・本多隆司・伊庭千惠（2016）『性問題行動のある知的・発達障害児者の支援ガイド──性暴力被害とわたしの被害者を理解するワークブック』明石書店

・本多隆司・伊庭千惠（2018）「性問題行動の心理支援/生活支援への児童期逆境体験ACEスクリーニングの導入──トラウマ・インフォームド・ケアTICに向けて」日本心理臨床学会第37回大会発表論文

・Khantzian, E. J.（1997）. The Self-Medication Hypothesis of Substance Use Disorders: A Reconsideration and Recent Applications. *Harvard Review of Psychiatry.* January-February 1997, Vol.4, Issue 5, pp.231-244.

・エドワード・J・カンツィアン, マーク・J・アルバーニス（著）松本俊彦（訳）（2013）『人はなぜ依存症になるのか──自己治療としてのアディクション』星和書店

・Levenson, J. S., & Willis, G. M.（2014）. Trauma-Informed Care with Sexual Offenders. In M. S. Carich & S. E. Mussack（Eds.）*Handbook of sexual abuser assessment and treatment.* The SafereSociety Press.

・Levenson, J. S., Willis. G. M., & Prescott, D. S.（2017）. *Trauma-Informed Care: Transforming Treatment for People Who Have Sexually Abused.* Safer Society Press. pp.257-259.

・Levenson, L., Grady, M., Kavanagh, S., & Mesias, G.（2017）. *Obstacles to Help-Seeking for Minor-Attracted Persons.* Grant project funded by Raliance.

・Najavits, L. M.（2002）. *Seeking Safety: A Treatment Manual for PTSD and Substance Abuse.* Guilford Press.（リサ・M・ジャナヴィッツ（著）松本俊彦・森田展彰（監訳）井上佳祐・今村扶美・川地拓・古賀絵子・齋藤聖・高野歩・谷渕由布子・引土絵未・渡邊敦子（訳）（2017）『PTSD・物質

乱用治療マニュアル──シーキングセーフティ』金剛出版)
・SAMHSA (2014a). Trauma-Informed Care in Behavioral Health Services TIP 57. U.S
DEPARTMENT OF HEALTH AND HUMAN SERVICES (Substance Abuse and Mental Health
Services Administration Center for Substance Abuse Treatment). Retrieved from http://store.samhsa
gov/product/TIP-57-Trauma-Informed-Care-in-Behavioral-Health-Services/SMA14-4816 (January 9
2018).
・SAMHSA (2014b). SAMHSA's Concept of Trauma and Guidance for a Trauma-Informed Approach
Prepared by SAMHSA's Trauma and Justice Strategic Initiative July 2014. Retrieved from https://store
samhsa.gov/shin/content/SMA14-4884/SMA14-4884.pdf (January 9, 2018).
・坪井聡（研究代表者）(2014)「児童虐待の被害を測定する国際的調査票の日本語版の作成
科学研究費助成事業　研究成果報告書」Retrieved from https://kaken.nii.ac.jp/ja/grant/AKENHI-
PROJECT-24790625/ (January 9, 2018)
・柴山雅俊 (2007)『解離性障害──「うしろに誰かいる」の精神病理』ちくま新書
・Wyatt, G. E. (1985). The Sexual Abuse of Afro-American and White-American Women in Childhood
Child Abuse & Neglect. Vol. 9, Issue 4, pp. 507-519.

おわりに

　私たちは、これまで性問題行動のある知的障害者や発達障害者などを対象に、心理支援や生活支援を行ってきました。性問題行動をしないで、だれもが安心し安全に社会の中で暮らしていくことが目標です。

　対象者が自己の性問題行動を理解し、繰り返しを防止する方法を身につけるために『性問題行動のある知的障害者のための16ステップ──「フットプリント」心理教育ワークブック』を翻訳しました。対象者の行為を通じて被害と被害者を理解するために『性暴力被害とわたしの被害者を理解するワークブック』を制作しました。そして、実践のなかから、次のテーマとして浮かび上がったのがトラウマです。

　性問題行動のある対象者の記録から過去に被害体験があったことがわかりました。しかし、被害の詳細は不明なことが多く、対象者自身から直接報告されることはほとんどありませんでした。支援現場において、対象者が出会ったつらかった出来事は正しく受けとめられなかったと思います。

　以前は、心的外傷後ストレス障害（PTSD）という診断が知られるようになってはいたものの、今のようにトラウマやその影響について整理されておらず、医療や福祉の場面においても児童や成人へのトラウマを視点にした治療や支援の必要性、重要性はまだまだ周知されていませんでした。ここ数年、自然災害や児童虐待という逆境体験による影響などの研究が進むなかで、少しずつトラウマ、PTSD症状、トラウマに関連する問題への理解が広まり、その影響の大きさに着目されるようになりました。現在では、トラウマ・インフォームドな関わりの必要性が叫ばれています。

　性問題行動のある知的・発達障害児者に被害体験があれば、トラウマの影響を受けている可能性が高いことがわかります。対象者の行動をトラウマのレンズを通して眺めなおしてみることが必要です。これまで進めてきた認知行動療法などのアプローチによる再加害予防と、対象者自身が自分の起こした被害と被害者への理解をすすめるという性問題行動への支援の内容や方法に加え、トラウマの有無を把握し、対象者とともにトラウマによる影響を正しく理解するという、重層的な支援が必要です。

　知的・発達障害児者も利用できる逆境体験のスクリーニングツールや、トラウマに関する心理教育教材を作成し、実践を経て、その活用の仕方もあわせて本書にまとめました。障害福祉支援の現場で対象者にかかわる支援員の方々にも、ぜひともトラウマに関する知識を身につけていただきたい、そしてその知識を、トラウマを抱えて問題行動という形で

サインを出している対象者への支援に活用していただきたいという思いです。

　今、医療現場、福祉現場、教育現場にもトラウマ・インフォームドな理解が広がりつつあります。特別で、命に係わるような大きな出来事だけではなく、日常生活の中の小さな出来事にもトラウマを起こす可能性があります。体験した人の感受性が非常に高い場合や脆弱さがある場合、その体験はトラウマを生みます。知的・発達障害児者にとっては、日常的に体験する叱責や軽いいじめなども大きなトラウマ体験となります。またそのトラウマは、静かに、ひそかにひそんでいることへの気づきが大切だと呼びかけられています。トラウマ・インフォームド・ケアは、ぜひとも、知的・発達障害児者の福祉支援現場にも取り入れてほしい概念です。

　本文の最後に触れたレジリエンスについて、知的・発達障害への言及はあまり見かけませんが、その重要性は変わりません。レジリエンスを高める手立てとしてあげられているつながりを築く、他者を援助する、事実を正しくとらえる、助けを得る、などは福祉的な支援とかわるところはありません。トラウマ・インフォームドな理解を実践に取り入れながら、トラウマという観点から対象者の日常の支援を進め、レジリエンスを高めていくよう、本書が支援現場で活用され、役立つことを願っています。

　おわりに、私たちの思いを全面的に受け止め、本書の出版にお力添えいただきました明石書店の皆様に改めてお礼を申し上げます。また、『キックスタート, トラウマを理解する』などの作成にはASB研究会のメンバーの協力があったことを記します。

【著者紹介】

本多　隆司（ほんだ・たかし）

1978年大阪大学大学院人間科学研究科前期課程修了後、大阪府において心理職として児童相談所（現、子ども家庭センター）、身体障害者更生相談所を経て、障害者福祉や権利擁護等を担当。2005年より種智院大学、現在教授。著書に『高齢者の権利擁護』（分担執筆、2004年）、『反社会的行動のある子どものリスク・アセスメント・リスト』（監訳、2012年）、『性問題行動のある知的障害者のための16ステップ──「フットプリント」心理教育ワークブック　第2版』（監訳、2015年）、『性問題行動のある知的・発達障害児者の支援ガイド──性暴力被害とわたしの被害者を理解するワークブック』（共著、2016年）等、他に性問題行動のある知的障害者等を対象に福祉・司法関連施設において心理支援活動を続け、それらをテーマとした論文、学会発表、講演や研修等。

伊庭　千惠（いば・ちえ）

2017年大阪教育大学大学院教育学研究科（健康科学専攻）修士課程修了。
1987年より大阪府心理職として、大阪府職業カウンセリングセンター、大阪府子ども家庭センター（児童相談所）、大阪府障害者自立相談支援センター（障害者更生相談所）などで児童、青年、障害者を対象に心理支援、福祉支援に28年間携わる。2016年よりライフデザイン・カウンセリングルームチーフカウンセラー。臨床心理士、公認心理師。その他、立命館大学・桃山学院大学・大阪教育大学非常勤講師、司法矯正施設心理カウンセラー、性暴力被害者・自死遺族支援カウンセラー、支援学校カウンセラー、大学キャリアカウンセラー等に従事。EMDRトレーニング、TF-CBT（トラウマ焦点化認知行動療法）Introductory・Advanced Training、TFTアルゴリズムレベル、自我状態療法国際トレーニングモジュールⅡ、各トレーニング修了。著書に『性的虐待を受けた子ども・性問題行動を示す子どもへの支援』（分担執筆、2012年）、『性問題行動のある知的障害者のための16ステップ──「フットプリント」心理教育ワークブック　第2版』（監訳、2015年）、『性問題行動のある知的・発達障害児者の支援ガイド──性暴力被害とわたしの被害者を理解するワークブック』（共著、2016年）、『学校でできる！性の問題行動へのケア　子どものワーク＆支援者のためのツール』（共著、2019年）等。他に、児童への性的虐待、問題行動のある知的障害者をテーマとした学会発表、研修等。

イラスト　ホンダタカシ

心理教育教材「キックスタート，トラウマを理解する」活用ガイド
問題行動のある知的・発達障害児者を支援する

2021年12月20日　初版第 1 刷発行

　著　　者　　本　多　隆　司
　　　　　　　伊　庭　千　惠
　発 行 者　　大　江　道　雅
　発 行 所　　株式会社　明石書店

〒101-0021　東京都千代田区外神田 6-9-5
　　　　　　　電　話　03 (5818) 1171
　　　　　　　Ｆ Ａ Ｘ　03 (5818) 1174
　　　　　　　振　替　00100-7-24505
　　　　　　　https://www.akashi.co.jp/

　　　　　装丁　　　　　谷川のりこ
　　　　　印刷・製本　モリモト印刷株式会社

（定価はカバーに表示してあります）　　　　　　　　ISBN978-4-7503-5303-6

 JCOPY 　〈出版者著作権管理機構　委託出版物〉
　本書の無断複製は著作権法上での例外を除き禁じられています。複製される場合は、そのつど事前に、出版者著作
権管理機構（電話 03-5244-5088、FAX 03-5244-5089、e-mail: info@jcopy.or.jp）の許諾を得てください。

ダイレクト・ソーシャルワーク ハンドブック　対人支援の理論と技術
ディーン・H・ヘプワース、ロナルド・H・ルーニーほか著
武田信子監修　山野則子、澁谷昌史、平野直己ほか監訳
◎25000円

スクールソーシャルワーク ハンドブック　実践・政策・研究
キャロル・リッペイ・マサット、マイケル・S・ケリー、ロバート・コンスタブル編著
山野則子監修
◎20000円

ソーシャルワーク　人々をエンパワメントする専門職
ブレンダ・デュボワ、カーラ・K・マイリー著　北島英治監訳
◎20000円

ソーシャルワークの方法論的可能性
「実践の科学化」の確立を目指して
衣笠一茂著
◎3600円

ソーシャルワーク実践のためのカルチュラルコンピテンス
宗教・信仰の違いを乗り越える
シーラ・ファーネス、フィリップ・ギリガン著　陳麗婷監訳
◎3500円

ケースで学ぶ 司法犯罪心理学
発達・福祉・コミュニティの視点から
熊上崇著
◎2400円

新版 Q&A 少年非行を知るための基礎知識
親・教師・公認心理師のためのガイドブック
村尾泰弘著
◎1800円

福祉心理学　〈日本福祉心理学会研修テキスト〉基礎から現場における支援まで
日本福祉心理学会監修
米川和雄編集代表　大迫秀樹、富樫ひとみ編集
◎2600円

発達心理学ガイドブック　子どもの発達理解のために
マーガレット・ハリス、ガート・ウェスターマン著
小山正、松下淑訳
◎4500円

発達とレジリエンス　暮らしに宿る魔法の力
アン・マステン著　上山眞知子、J・F・モリス訳
◎3600円

医療・保健・福祉・心理専門職のためのアセスメント技術を高めるハンドブック〔第2版〕
ケースレポートの方法からケース検討会議の技術まで
近藤直司著
◎2000円

医療・保健・福祉・心理専門職のためのアセスメント技術を深めるハンドブック
精神力動的な視点を実践に活かすために
近藤直司著
◎2000円

子ども・家族支援に役立つアセスメントの技とコツ
よりよい臨床のための4つの視点、8つの流儀
川畑隆編著
◎2200円

知的障害・発達障害のある子どもの面接ハンドブック
犯罪・虐待被害が疑われる子どもから話を聴く技術
アン・クリスティン・セーデルボリほか著
仲真紀子、山本恒雄監訳　リンデル佐藤良子訳
◎2000円

子ども・家族支援に役立つ面接の技とコツ
〈仕掛ける・さぐる・引き出す・支える・紡ぐ〉
宮井研治編
◎2000円

発達相談と新版K式発達検査　子ども・家族支援に役立つ知恵と工夫
大島剛、川畑隆、伏見真里子、笹川宏樹、梁川惠、衣斐哲臣、菅野道英、宮井研治、大谷多加志、井口絹世、長嶋宏美著
◎2400円

〈価格は本体価格です〉

性の問題行動をもつ子どものためのワークブック
発達障害・知的障害のある児童・青年の理解と支援
宮口幸治、川上ちひろ著
◎2000円

子どもの性的問題行動に対する治療介入
保護者と取り組むバウンダリー・プロジェクトによる支援の実際
エリアナ・ギル、ジェニファー・ショウ著
高岸幸弘監訳　井出智博、上村宏樹訳
◎2700円

男子という闇　少年をいかに性暴力から守るか
エマ・ブラウン著　山岡希美訳
◎2700円

子どもへの体罰を根絶するために
臨床家・実務者のためのガイダンス
エリザベス・T・ガーショフ、シャウナ・J・リー編　溝口史剛訳
◎2700円

虐待された子どもへの治療【第2版】
医療・心理・福祉・法的対応から支援まで
ロバート・M・リース、ロシェル・F・ハンソン、ジョン・サージェント編
亀岡智美、郭麗月、田中究監訳
◎20000円

性的虐待を受けた子ども・性的問題行動を示す子どもへの支援
児童福祉施設における生活支援と心理・医療的ケア
八木修司、岡本正子編著
◎2600円

性的虐待を受けた子どもの施設ケア
児童福祉施設における生活・心理・医療支援
八木修司、岡本正子編著
◎2600円

DV・性暴力被害者を支えるための　はじめてのSNS相談
社会的包摂サポートセンター編
◎1800円

自閉症スペクトラム障害とセクシュアリティ
なぜぼくは性的問題で逮捕されたのか
トニー・アトウッド、イザベル・エノー、ニック・ドゥビン著
田宮聡訳
◎2500円

家庭や地域における発達障害のある子のポジティブ行動支援PTR-F
子どもの問題行動を改善する家族支援ガイド
グレン・ダンラップほか著　神山努、庭山和貴監訳
◎2800円

アスペルガー症候群に特化した就労支援マニュアルESPIDD
職業カウンセリングからフォローアップまで
梅永雄二、井口修一著
◎1600円

アスペルガー症候群の人の就労・職場定着ガイドブック
適切なニーズアセスメントによるコーチング
バーバラ・ビソネット著　梅永雄二監修　石川ミカ訳
◎2200円

アスペルガー症候群の人の仕事観
障害特性を生かした就労支援
サラ・ヘンドリックス著　梅永雄二監訳　西川美樹訳
◎1800円

自閉症スペクトラム障害のある人が才能をいかすための人間関係10のルール
テンプル・グランディン、ショーン・バロン著　門脇陽子訳
◎2800円

大人のADHDのアセスメントと治療プログラム
当事者の生活に即した心理教育的アプローチ
スーザン・ヤング、ジェシカ・ブラムハ著　田中康雄監修　石川ミカ訳
◎3800円

発達障害白書 2022年版
日本発達障害連盟編
◎3000円

〈価格は本体価格です〉

性問題行動のある知的障害者のための16ステップ【第2版】

「フットプリント」心理教育ワークブック

クリシャン・ハンセン、ティモシー・カーン 著

本多隆司、伊庭千惠 監訳

■B5判／並製／316頁 ◎2600円

逸脱した性問題行動を抱える知的障害のある人への治療・教育を目的としたワークブック。現場から得られたデータに基づく再発防止モデルをもとに当事者が積極的に取り組めるよう、イラストを豊富に使い、工夫をこらした。新しい知見を加え、内容を充実させた改訂版。

● 内容構成 ●

ステップ1　自分のことをしろう
ステップ2　カウンセリングって なんだろう
ステップ3　正しいタッチ
ステップ4　わたしの歴史
ステップ5　境界線
ステップ6　性的な気もちと人間関係
ステップ7　正しい考えかた
ステップ8　きっかけ
ステップ9　危険ゾーン
ステップ10　選択
ステップ11　気もち
ステップ12　行動のサイクル
ステップ13　被害者と共感
ステップ14　安心して生活するための わたしの計画
ステップ15　復習してまとめよう
ステップ16　ステップを実行して生きる

フットプリントの実施と支援のために
――監訳者あとがきにかえて

性問題行動のある知的・発達障害児者の支援ガイド

性暴力被害とわたしの被害者を理解するワークブック

本多隆司、伊庭千惠 著

■B5判／並製／136頁 ◎2200円

知的障害や発達障害がある子ども・青年の性問題行動に対応するためのワークブック。ワークを通して、当事者と支援者が性についての正しい知識を学び、性逸脱行動の予防を図ることを目的とする。第1部は理論編、第2部は書き込み式ワークブック。

● 内容構成 ●

第1部　性問題行動の理解と支援
第1章　性問題行動をどのようにとらえるか
第2章　性問題行動への心理的アプローチ
第3章　日常生活での実践と支援

第2部　『性暴力被害とわたしの被害者を理解するワークブック』を使った支援
第4章　『性暴力被害とわたしの被害者を理解するワークブック』ガイド
第5章　『性暴力被害とわたしの被害者を理解するワークブック』

〈価格は本体価格です〉